Jägerinnen geben Happy Ends

Der Harem der Jägerin Buch 5

Holly Ryan

Jägerinnen geben Happy Ends

Autor: Holly Ryan

Übersetzung: Vanessa

Umschlaggestaltung: German Creative

Die originalausgabe erschien 2018 unter dem Titel "Slayers Give Happy Endings."

Autor: Lindsey Loucks

2950 NW 29th Ave, STE A624925

Portland, OR 97210

United States

holly@hollyryanwrites.com

ISBN: 9798223527190

KAPITEL EINS

SCHMERZEN UND SCHREIE, SO sehr, dass ich dachte, ich würde meinen Kampf mit Paul noch einmal erleben. Aber dann kam ein scharfer und schrecklicher Schmerz in meinem Magen, der alles andere verdrängte. Hunger. *Durst.*

Der Geschmack von Blut weckte meine Geschmacksknospen und linderte den schrecklichen Schmerz ein wenig, aber es war nie genug. Selbst als ich es hinunterschluckte, war es immer noch nicht genug. Es verzehrte meine Gedanken, machte mich rasend nach *mehr*.

Und dann?

Ich wachte mit einem Schreck in einem dunklen Raum auf. Es war stockdunkel, aber ich konnte alles in aller Deutlichkeit erkennen. Die Kommode gegenüber dem Bett, in dem ich lag, die kleinen Absplitterungen im Holz, die einzelnen Rillen in den Messinggriffen. Es war, als ob die Sonne durch das Fenster schien und all diese Dinge hervorhob.

Auch die Gerüche schienen sich zu verstärken - frisch gewaschene Laken, die meinen Rücken streichelten, Lavendel, Holz, Blut und ... alles. Alles vermischt und gleichzeitig in einzelne Komponenten zerlegt. Es machte mich durstig.

Das Bestehende hat mich durstig gemacht.

Ich versuchte, aufzustehen, aber meine Arme und Beine waren mit Seide gefesselt. Eddie's Schals. Er hatte mich vor einiger Zeit schon einmal damit gefesselt. Wie lange war das her? Wie lange war ich hier gefesselt gewesen?

Wie lange bin ich schon ein Vampir?

Die Erkenntnis, was ich war, traf mich mit voller Wucht, auch wenn ich im Hinterkopf wusste, was mit mir geschah. Doch als Vampir aufzuwachen, war für mich etwas völlig Neues. Ich fühlte mich anders und doch gleich, vermutlich weil der anfängliche Blutrausch seinen Lauf genommen hatte. Ich war immer noch ich, eine Vampirjägerin im wahrsten Sinne des Wortes. Nur durstiger. Und sensibler. Als Jägerin waren meine Sinne sowieso schon super, aber jetzt würde ich auch im Dunkeln jagen können. Ich war gerade spektakulär aufgestiegen.

Ich reiße mich von den Seidentüchern los, vielleicht etwas zu heftig, denn dabei habe ich das Kopf- und das Fußteil in zwei Teile gespalten. Ups.

Ich bin immer noch ich, nur stärker.

Ich flog aus der Schlafzimmertür und sauste innerhalb von Sekunden die Treppe hinunter, nicht einmal außer Atem, weil ... nun ja, ich habe keinen Atem.

Ich bin immer noch ich, nur schneller.

„Groovy", sagte ich in das leere Wohnzimmer.

Die Lichter waren hier unten an, aber alles schien so anders und neu. Immer noch gemütlich und warm, aber so, als hätte ich den dunklen Holzboden unter meinen Füßen seit Monaten nicht mehr gespürt.

„Belle", sagte eine samtene Stimme zu meiner Rechten, ein verführerischer Kuss auf meinen ganzen Körper.

Ich wirbelte herum, und meine lockeren, blonden Locken flogen um meine nackten Schultern. Dort in der Küche saßen an einem nagelneuen Tisch meine drei Lieblingsvampire, der Teufel und mein toller Hund Cleo. Ich erstarrte, als ich sie sah, gefangen in ihren großen Augen, denn es schien eine Ewigkeit her zu sein, dass ich sie zuletzt gesehen hatte. Mein Herz, das unheimlich still war, schmerzte für sie. Ich hatte sie so sehr vermisst. Nicht den Teufel, natürlich.

Cleo kam herüber, um mich zu beschnuppern, gab ein jämmerliches kleines Winseln von sich und drückte dann ihre Nase an mich, bis ich sie an ihrer Lieblingsstelle hinter den Ohren kraulte.

Meine Vampire erhoben sich langsam von ihren Sitzen, ihre orange-gelben Blicke waren wachsam, als ob sie dachten, ich würde sie angreifen oder...

Oh nein. Bilder von meinem Kampf mit Paul, der Zustand meines Körpers danach, schossen mir mit erschreckender Klarheit durch den Kopf. Ich schaute an mir herunter, um zu sehen, was sie sahen, und hoffte, dass es nicht so war, wie ich es in Erinnerung hatte. Damals war ich gebrochen gewesen und hatte mich gerade noch so am Leben gehalten. Jetzt waren meine Finger, Hände, Arme, alles wieder ganz. Nirgendwo Narben, nur makellose, wunderschöne Haut, die ich immer wieder berühren wollte.

Ja, das war eine oberflächliche Sache, um die man sich Sorgen machen musste. Niemand hat je behauptet, ich sei perfekt. Außerdem wollte ich nicht unsterblich sein, und so aussehen wie verschimmelte Spaghettireste.

„Jägerin", sagte Jacek und trat einen Schritt näher. Die Bewegung brachte seine schwarze Sporthose zum Rascheln, die tief auf den Hüften saß, und er trug ein schwarzes Hemd, ein Kleidungsstück, das mir an ihm noch nie gefallen hatte. Sein kurzes dunkles Haar war fast so unordentlich wie das von Eddie, als hätte er sich schon eine Weile nicht mehr darum gekümmert. „Wie fühlst du dich?"

„Ähm." Meine Stimme fühlte sich rostig an, weil ich sie zu wenig benutzt hatte, oder vielleicht, weil ich zu viel geschrien hatte, weil es weh tat, ein Vampir zu werden. Es hatte weh getan. Daran erinnerte ich mich lebhaft. „Tot, aber ... auf eine gute Art?"

Jacek und die anderen lächelten, und mir entging nicht die große Erleichterung, die sie ausstrahlten. Wie schlimm war mein Übergang gewesen?

Sawyer trat vor. Seine seidigen schwarzen Locken glitzerten im Licht, und ich konnte nicht glauben, wie viele kleine Details ich auf den Sonnen und Monden, die auf seinen bronzefarbenen Armen eingezeichnet waren, übersehen hatte. Selbst aus etwa einem Meter Entfernung konnte ich die komplizierten Details ausmachen. Sie waren umwerfend. *Er* war atemberaubend.

„Brauchst du etwas?", fragte er. „Etwas Blut?"

„Einen Mantel?" Eddie starrte den Teufel an, dessen saphirblaue Augen in sündiger Anbetung über meinen nackten Körper wanderten.

„Ich hoffe nicht", schnurrte der Teufel. Er saß mit gespreizten Beinen am Kopfende des Tisches, in schwarzem Leder und Jeans, ein neugieriges Lächeln klebte auf seinen Lippen, während er mich studierte. Sein kurzes blondes Haar glänzte wie Diamanten, und er strahlte Macht aus, aber auch etwas anderes. Ich hatte das Gefühl, dass er versuchte, mein Verlangen zu verstärken, aber seine Magie prallte an mir ab und starb einen einsamen Tod. Er war noch nie ein großer Fan von Vampiren gewesen. Vielleicht war das der Grund. Weil er uns nicht mit Verlangen kontrollieren konnte.

„Blut", röchelte ich.

Sawyer nickte und warf dem Teufel auf dem Weg zum Kühlschrank einen bösen Blick zu.

Jacek streckte seine Hand aus, damit ich mich zu ihnen geselle, aber Cleo schubste ihn mit einem Gummiball im Maul aus dem Weg. Ihr Schwanz wurde wild und klatschte gegen Jaceks Knöchel.

„Ist es Zeit zum Spielen, Mädchen?", fragte ich.

„Ah." Jacek gluckste, als er ihr den Ball abnahm. „Ich glaube, da hat sich jemand an den Männern in diesem Haus sattgesehen und seine Jägerin vermisst." Er warf mir den Ball zu, und ich schnappte ihn mir aus der Luft, ohne dass mein Instinktradar auch nur einen Pieps von sich gab.

Dann habe ich ihn geworfen. Ich wollte ihn nur ein paar Stufen hochwerfen, aber er segelte nach oben und durchschlug dann die Wand. Von dort, wo ich stand, konnte ich Sterne durch die Hauswand sehen.

„Oh Scheiße." Ich drehte mich wieder zu meinen Vampiren um. „Es tut mir leid."

Sie kicherten, als Sawyer mit einem warmen Becher Blut in die Küche kam. „Es ist nur eine Wand."

„Und das Fuß- und Kopfteil oben. Ich bin wie der tasmanische Teufel. Tut mir leid, Cleo."

Sie saß auf meinem Fuß und war nicht im Geringsten daran interessiert, den Ball zu holen, nachdem ich ihn wer weiß wohin geworfen hatte.

Ich nahm das Blut von Sawyer und leerte es in einem Zug aus, dann leckte ich den Becher sauber, während alle zusahen. Stöhnend fuhr ich mir mit der Zunge über die Lippen, um auch den letzten Tropfen aufzufangen. Whoa, ich hatte Reißzähne. Sie schoben sich heraus, scharf wie Nadeln.

Die Augen meiner Vampire färbten sich leuchtend rot, als sie mich beobachteten, bedürftig und hungrig, während sie über meinen nackten Körper wanderten. Knurren hallte durch die Küche und ließ jedes Teilchen in der Luft zwischen uns auf direktem Weg zu meiner Muschi erzittern. Jetzt spürte ich das Verlangen, eine starke Hitze, die tief sank und meine Innenschenkel benetzte. Mein ganzer Körper summte vor Verlangen, als ich mit meinen Fingern über meinen butterweichen Bauch strich, und dann tiefer. Ich brauchte sie in mir. Meine Finger würden genügen, um den Schmerz zu lindern, nahm ich an, sogar vor dem Teufel, der dort saß und zusah, seine Saphiren hell und hungrig, ein verschlagenes Kräuseln auf seinen Lippen.

„Jesus, Sunshine", röchelte Eddie und lehnte sich gegen den Tisch. Sein harter Schwanz drückte gegen seine schwarze Anzughose. Er nahm ihn und drückte zu, während er in seinen Stuhl sank und sein blondes Haar über seine Brille flatterte. „Dein Lustgeruch ist zehnmal so stark wie früher."

Jacek und Sawyer hatten ebenfalls riesige Ständer, die direkt auf mich gerichtet waren, und ich stellte mir vor, dass der Teufel das auch hatte, obwohl er sich nach vorne setzte und mit den Hüften wippte und ein leises Grollen in der Kehle hatte, während er mich anstarrte.

Ich wollte unbedingt ficken, aber ich brauchte mehr Antworten. Ich fuhr mit der Zunge an meinen Reißzähnen entlang, um sie wieder aufzurichten. „Wie lange?", fragte ich Sawyer, der mir den leeren Becher wegnahm und mich an der Hand zum Tisch führte.

„Ungefähr elf Monate", sagte er und seine roten Augen wurden wieder bernsteinfarben.

Ich blieb stehen, als wäre ich gegen eine Wand geprallt. „Was?"

Er bedeckte meine Hand mit seinen beiden Händen. „Es ist eine relativ kurze Zeitspanne, wenn man unsterblich ist."

„Aber ..." Ich sah in die Gesichter der beiden, aber natürlich hatten sie sich in elf Monaten kein bisschen verändert. Aber ich hatte mich verändert. Oh, daran musste ich mich erst einmal gewöhnen. „Also..." Ich kniff die Augen zusammen und versuchte, mir einen Reim auf meine neue Realität zu machen. „Welcher Monat ist es?"

Eddie runzelte die Stirn, als er sich an den Tisch setzte. „Es ist Oktober. Der dritte Oktober."

Das heißt, mein einundzwanzigster Geburtstag war in weniger als dreißig Tagen. „Bin ich schon wahnsinnig? Würdest du es überhaupt merken, wenn ich in den letzten elf Monaten vor lauter Blutrausch den Verstand verloren hätte? Was ist mit Paul? Ist er am Leben? Was habe ich verpasst? Oh mein Gott, ich kann nicht atmen."

„Belle." Sawyer nahm mein Gesicht in seine Hände. „Du bist tot."

„Ja, aber ... das Atmen hat geholfen."

Jacek hielt mir einen Stuhl an meinem üblichen Platz am Tisch hin. „Das ist so, wenn man, du weißt schon, tot ist."

Ich sah Sawyer an und verarbeitete ihn. „Elf Monate..."

„Es wird einige Zeit dauern, bis du dich damit abgefunden hast", sagte er. „Nimm dir so viel Zeit, wie du brauchst."

Ich nickte, seine Hände, die meine Wangen umschlossen, gaben mir Kraft, und setzte mich dann an den Tisch, um mehr zu hören. Wenn ich es aushalten konnte.

Gegenüber von mir schlug Eddie die Hände auf die Tischplatte. „Paul ist nicht tot."

Nein, das könnte ich nicht ertragen. „Scheiße."

Der Teufel beugte sich vor. „Aber du hattest noch den Götterknochen, als du durch die Falltür nach oben kamst. Wenn die Zeit reif ist, kannst du" - er sah die anderen an - „Es noch einmal versuchen."

Der Götterknochen war das Einzige, was Paul, selbst ein Gott, töten konnte. Ich hatte ihn bereits damit durchbohrt, bevor er mich bei lebendigem Leibe häutete, aber das war nicht genug gewesen.

Ich blickte um den Tisch herum. „Die Zeit ist jetzt gekommen. Heute Abend. Ich habe nicht mehr viel Zeit. Keine Jägerin hat jemals ihren einundzwanzigsten Geburtstag überlebt, schon vergessen? Und Roseff zähle ich nicht dazu, weil er verrückt geworden ist."

„An seinem einundzwanzigsten Geburtstag", murmelte der Teufel und runzelte die Stirn.

Sawyer setzte sich neben mich und legte seine Hand auf meinen Oberschenkel, ein kühler Trost. „Belle, du hast gerade elf Monate lang unter dem Blutrausch eines Neugeborenen gelitten. Wir haben dich die meiste Zeit unter Drogen gehalten, weil es für dich schmerzhaft war, nach allem, was du durchgemacht hast. Sieh es doch mal so. Du bist gerade aus einem elfmonatigen Koma aufgewacht. Du kannst jetzt nicht gegen Paul antreten, weil du dich erst einmal erholen musst."

Auf der anderen Seite von mir verschränkte Jacek seine Finger mit meinen. „Es ist der dritte Oktober. Dein Geburtstag ist Halloween. Du hast noch Zeit."

„Aber ich weiß es nicht. Nicht wirklich. Meine Jägerinnenkraft wird mein Gehirn in einen verbrannten Marshmallow verwandeln, der mit einem verrückten Stock durchbohrt wird, wie es bei Roseff und den anderen Jägerinnen vor mir der Fall war. Ich bin überrascht, dass ich nicht schon Schaum vor dem Mund habe."

In der Küche herrschte eine unangenehme Stille, und mir wurde klar, welche meiner vielen Fragen noch nicht beantwortet worden waren.

„Habe ich etwas getan oder gesagt, was nicht zu mir passt?" Ich wandte mich an Eddie, da er aus erster Hand wusste, worauf man achten musste. Seine kleine Schwester, eine ehemalige Jägerin, hatte ein paar unpassende Dinge gesagt, bevor sie das Haus mit der ganzen Familie niedergebrannt hatte. Sie war viel jünger als einundzwanzig, was bedeutete, dass der Jägerinnenwahn jederzeit einsetzen konnte.

„Du..." Eddie räusperte sich, mit einem gequälten Gesichtsausdruck, und eine Welle des Selbsthasses erstickte mich fast, tot oder nicht.

Was zum Teufel hatte ich meinen Lieben in den letzten Monaten zugemutet? Es war mir egal, was ich durchgemacht hatte. Ich war mehr damit beschäftigt, was ich *ihnen* angetan hatte.

„Du hast geschworen, dass Paul versucht hat, in dich einzudringen, um seine Macht zurückzuerlangen." Er sah mich an, seine bernsteinfarbenen Augen waren so aufrichtig, wie ich sie noch nie gesehen hatte. „Aber er war nicht da."

Ich zuckte zusammen, als ich mich an diese Erinnerung und an eine meiner ersten Begegnungen mit Paul erinnerte. Er hatte irgendwie den Anschein erweckt, als würde er versuchen, in mich einzudringen, obwohl er nur etwa einen Meter entfernt stand. War es das, was er versucht hatte? In mich eindringen, damit er seine Kraft zurückbekommt? Nun, er war in mich eingedrungen, lange genug, um mich dazu zu bringen, mich zu erstechen.

„Ich weiß es nicht, aber vielleicht hat mein Unterbewusstsein mit mir gespielt? Ich meine, es ist seine Kraft in mir, die er unbedingt zurückhaben will, also ist es vielleicht gar nicht so schlecht, dass ich dachte, Paul würde versuchen, an mich heranzukommen? Das heißt, ich bin in Alarmbereitschaft." Hmm, das hörte sich in meinem Kopf schon viel besser an.

Nach einer langen Pause sagte Sawyer: „Da ist noch mehr".

Ich ließ mich in meinen Sitz zurücksinken. „Ich mochte es lieber, als ich noch nichts wusste."

Ein schmerzlicher Blick ging über sein Gesicht, und er schien für einen Moment keine Worte zu finden. „Du hast versucht, Cleo zu essen."

Ich starrte ihn an, wiederholte jede Silbe von dem, was er gerade gesagt hatte, aber es wollte nicht so recht passen. „Ich habe was?"

Cleo kam auf mich zu getrabt und schob sich um Sawyer herum, um ihr Kinn auf mein Knie zu legen. Unversehrt. Unversehrt. Nirgendwo Bisswunden in Form einer Jägerin. Sie schaute mich mit ihren trüben, seelenvollen, blutunterlaufenen Augen an, und ihre feuchte Nase flackerte, als ob sie etwas Totes riechen würde.

„Sie verzeiht schnell, Belle", sagte der Teufel von seinem Stuhl am Kopfende des Tisches aus. „Ich glaube, sie begreift viel mehr, als man ihr zutraut, aber du wolltest sie essen. Nicht sie zu trinken. Sie fressen."

„Aber ..." Ich streichelte ihre seidigen braunen Ohren und schüttelte den Kopf. „Das würde ich nie und *nimmer* tun."

„Genau", sagte Sawyer und kraulte Cleo hinter den Ohren. „Selbst der Blutrausch macht das bei neugeborenen Vampiren nicht. Sie trinken Menschenblut. Das war's."

Das war auf so vielen Ebenen falsch. Cleo war mein Mädchen, und ich liebte sie, weil ich sie nicht *nicht* lieben konnte. Ich würde ihr nie wehtun, und zu hören, dass ich es versucht hatte, ließ mein nicht schlagendes Herz bis in die Zehen schlagen. Ich rollte mich zusammen und bedeckte mein Gesicht mit den Händen, weil ich mich zu sehr für mich selbst schämte, um etwas anderes zu tun.

Jacek und Sawyer rückten näher zusammen und massierten meinen Rücken. Eddie beugte sich über den Tisch und zeichnete mit seinem Daumen Kreise in meinen Ellbogen. Cleo leckte mein Knie ab. Es gab hier keine toten Hunde, zum Glück, Leute. Ganz und gar nicht. Diese Tatsache brannte mir in den Augen, aber ich weinte nicht. Ich war mir nicht einmal sicher, ob ich das noch könnte.

Doch konnte ich für eine kurze, süße Weile die Richtung meines Lebens wählen, anstatt dass mir mein Schicksal oder mein von Wahnsinn gezeichnetes Gehirn aufgezwungen wurde. Willst ich mich in einem Vampirnest herumtreiben, obwohl es eine schlechte Idee sein könnte? Jawohl! Willst du alle drei ficken, weil sie unverschämt heiß und echt sind und genau das, was die Jägerin braucht? Klar doch! Sicher! Ich hatte diese Entscheidungen getroffen, und ich war verdammt stolz auf alle von ihnen. Dass mein Leben nun von meinem dummen Gehirn diktiert wurde, passte dieser Vampirjägerin nicht. Scheiße, nein.

Langsam richtete ich mich auf. „Ich will mein Gehirn zurück, und nicht diesen Haufen Kartoffelbrei. Mein Gehirn war schon vorher verrückt, wie ihr sicher wisst, aber es war *meins.*"

„Wir wollen es auch zurück, Sunshine." Eddie verschränkte die Arme über seinem weißen Button-Down-Hemd und lehnte sich in seinem Stuhl zurück. „Wir wollen es auch zurück."

Der Teufel stützte sich mit dem Ellbogen auf den Tisch und studierte mich, während er sich den Kiefer rieb und seine Saphire funkelten. „Nachdem Roseff in Pauls See geschaut und die Wahrheit erfahren hatte, begann er langsam den Verstand zu verlieren. Der Zeitpunkt dafür ist bei jeder Jägerin anders, aber..." Er blickte zu Jacek. „Roseff hatte bereits begonnen, Vampire zu quälen, um herauszufinden, wie er sich selbst, eine Jägerin, in einen Vampir verwandeln konnte. Aber am Tag seines einundzwanzigsten Geburtstags ist er völlig durchgedreht."

Jacek spannte sich neben mir an. „Erzählst du nur irgendwelchen Scheiß über meine Vergangenheit, oder hast du einen Grund dafür?"

Jacek war einer der Vampire, die Roseff gefoltert hatte, und er hatte immer noch allen Grund, darüber sauer zu sein.

Der Teufel ignorierte ihn, unbeeindruckt. "Belle, du hast einmal gefragt, ob man dir deine Jägerinnenkraft nehmen kann, und ich habe ja gesagt, aber... das Universum braucht seine Jägerin. Ich kann deine Kraft nicht einfach in einem Glas irgendwo auf einem Regal aufbewahren. Also, was schwebt dir vor?"

Das stimmt. Ohne die Jägerin war alles aus dem Gleichgewicht, durcheinander, Chaos. Aber es gab eine Zeit vor nicht allzu langer Zeit - nun, vor etwa einem Jahr - als ich meine Kräfte nicht hatte und das Universum anscheinend gut funktionierte.

„Detective Appelt hat mir einmal meine Jägerinnenkraft gestohlen", sagte ich.

„Verdammt, Sunshine. Du hast recht." Eddie lächelte, als hätte mein zerquetschtes Kartoffelhirn etwas Gutes bewirkt. Er warf einen Blick auf den Teufel. „Dann ist das Universum nicht auseinandergefallen."

„Wo ist er?" Meine Augen weiteten sich. „Nicht im Holzschuppen, hoffe ich."

Sawyer schüttelte den Kopf. „Nachdem er seinen Blutrausch überwunden hatte, ist er gegangen."

„Er ... ist gegangen?" Aber wir hatten so viel zu besprechen. Zum Beispiel, warum ein gerahmtes Foto von Mom auf seinem Schreibtisch im Polizeirevier stand. Ich war mir ziemlich sicher, dass er mein Vater war, den ich nie gekannt hatte und über den Mom nicht reden wollte. Aber wenn er einfach so mit seinem Vampir-Ich aus dem Holzschuppen spaziert war... Nun, da kam ich mir verdammt klein vor. Mein Herz mag aufgehört haben zu schlagen, aber meine Gefühle waren so rein und roh wie immer. Ein schmerzhafter Laut schnalzte in meiner Kehle, weil ich ihm Beleidigungen entgegenschleudern wollte, aber ich konnte nicht.

„Hey." Sawyer beugte sich vor und legte seinen Finger unter mein Kinn, damit ich in seine warmen, ockerfarbenen Augen sehen konnte. „Er ist nicht weit gegangen. Er hat inoffiziell deine Rolle als Jägerin übernommen, als du nicht im Dienst warst. Anstatt Neugeborene zu töten, bringt er sie in die Senatsvilla, um ihnen zu helfen, ihren Blutrausch zu überwinden, bis sie sich wieder in die Vampirgesellschaft einfügen können."

„Wie eine Reha?", fragte ich.

Sawyer nickte. „Das hast du in ihm bewirkt."

Oh je, das war eine Menge auf einmal. Ich stand auf und brauchte eine Blutpause, obwohl ich gerade eine gehabt hatte. Alles zu verarbeiten, machte mich durstig. Nachdem ich meinen Becher Blut in der Mikrowelle erwärmt hatte, suchte ich in den Schränken nach Zimt und gab eine Prise hinein. Und dann noch eine. Ich nahm einen Schluck und kippte das Ganze sofort hinunter. „Schmeckt wie Kuchen!"

In der Küche brach Lachen aus, ein kostbarer, musikalischer Klang, der mir unter die Haut ging. Das war es, was ich wollte. Nicht diese ganze ernste Scheiße.

Jacek nahm wieder meine Hand, als ich mich zu ihnen an den Tisch setzte. „Wir waren so besorgt um dich, dass wir nicht einmal daran gedacht haben, ihn zu fragen, wie Detective Appelt deine Kraft gestohlen hat, ohne dass das Universum implodiert ist."

„Jetzt, wo er wieder klar ist, können wir ihn fragen", sagte ich. „Je früher, desto besser." Und noch viel mehr Fragen. „Und was ist in der Zwischenzeit mit Paul? Ihr müsst ihn gesehen haben, um zu wissen, dass er nicht tot ist."

„Wir haben ihn gesehen." Eddie stand auf und begann, um den Tisch herumzugehen. Cleo ging hinter ihm her.

„Was machte er?", fragte ich.

Die vier Jungs tauschten Grimassen untereinander aus, und ich wusste sofort, dass mir das, was ich hörte, nicht gefallen würde. Abgesehen davon, dass ich meine Vampire und meinen Hund wiedersah, hatte mir so ziemlich alles nicht gefallen, seit ich wieder wach war. Das hatte ich davon, dass ich aus dem Bett aufgestanden war.

Der Teufel räusperte sich. „Die Falltür blutet praktisch aus der Dunkelheit. Es sieht nicht gut aus."

Es war genau wie das, was ich in dem See in der Senatsvilla gesehen habe. Paul in Göttergestalt, die Dimension, aus der er stammte, sickerte in diese Dimension.

„Er versucht, unsere Dimension zu übernehmen", sagte ich. „Was wollt ihr wetten, dass er genau das tun kann, wenn er seine Macht zurückerhält?"

Eddie nickte, während Cleo immer noch neben ihm auf und ab ging, als würden sie ein Spiel spielen. „Das haben wir uns auch gedacht. Luc hat Pauls Dunkelheit auf dem Friedhof eingeschlossen und ihn mit einem Abwehrzauber belegt, damit kein Mensch in seine Nähe kommt."

Ich überschlug, was er gerade gesagt hatte, und blieb an dem Namen Luc hängen. Ach, der. Der Teufel, oder der Esel, wie ich ihn manchmal nannte. Es war seltsam, dass meine Vampire ihn mit Vornamen anredeten, nachdem sie sich früher gegenseitig an die Kehle gegangen waren. Seltsam und verdammt nervig. Er war derjenige, der mich zur Jägerin auserkoren und Pauls See in die Falltür zurückverlegt hatte, um genau das zu tun, was Paul gewollt hatte, nur um mich zu retten. Aber der Witz ging auf seine Kosten, denn jetzt war ich tot.

Und in weniger als einem Monat werde ich wahnsinnig. Vielleicht auch tot. Es waren wirklich dunkle Tage. Ich rieb mir die Augen, irgendwie hatte ich genug von all dem.

Sawyer rieb mir den Rücken. „Wir wissen, dass das eine Menge zu verkraften ist, besonders nachdem du gerade aufgewacht bist."

Ich stöhnte und schüttelte den Kopf. „Ich war nie ein Morgenmensch, oder ein Nachmittagsmensch, wirklich. Die Tageszeit als Ganzes ist für mich fragwürdig. Ich finde, dass ich schlechte Nachrichten am besten zwischen 10:00 und 10:01 Uhr verkrafte."

Jacek grinste, ein neckisches Glitzern in seinen Augen. „Das werden wir uns für das nächste Mal merken."

Sawyer legte seine Hand wieder auf meinen Oberschenkel und gluckste. „Gut, dass du ein Vampir bist."

Der Teufel runzelte die Stirn in offensichtlicher Uneinsichtigkeit.

Eine plötzliche Erkenntnis schoss mir durch den Rücken. „Scheisse. Meine Online-Kurse. Ich war so kurz davor, mein Semester zu beenden. All die harte Arbeit für..."

„Entspann dich, Sonnenschein." Eddie blieb hinter seinem Stuhl stehen und blinzelte. „Ich habe mich in deinen Laptop gehackt und das Semester für dich zu Ende gebracht."

„Du ..." Ein leichtes, trotz dieser dunklen Tage unmögliches Schwindelgefühl durchflutete meine Brust. „Wirklich? Eddie, ich könnte dich einfach küssen."

Seine Lippen zuckten, und eine Welle der Hitze kräuselte sich in meinem Bauch, so wie er mich ansah. „Dazu werden wir noch kommen."

Oh ja. Das würden wir ganz sicher tun.

Jacek hob sein Kinn in Richtung Eddie. „Er hatte nur drei Versuche, dein Passwort herauszufinden."

Eddie lächelte. „Ich hatte es in zwei Versuchten geschafft."

Ich brauchte ein bisschen Gedankensprung, um mich nach all der Zeit zu erinnern, was es war. Dann machte es klick. „Spongebob+Sandy4Evah? Unmöglich, dass du es in zwei Versuchen geschafft hast. Echt jetzt?"

„Nein, nicht wirklich", sagte Jacek. „Ich habe gesehen, wie du es einmal eingetippt hast, und ich habe es ihm gesagt."

Ich lachte, und es fühlte sich lächerlich gut an. Eines Tages würde ich das den ganzen Tag mit ihnen tun können, für eine buchstäbliche Ewigkeit. Ich schwor mir, das auf jeden Fall zu schaffen, und zwar bald.

„Nun ..." Ich warf einen Blick auf die Uhr über Eddies Kopf und stand auf. Meine Füße juckten. Mein Bauch krampfte. Es war Zeit, auf Patrouille zu gehen. „Es ist zehn Uhr. Ich bin jetzt voll bereit, um schlechte Nachrichten wie ein Champion zu verarbeiten. Danke, dass ihr zu meinem nackten TED-Vortrag gekommen seid."

„Whoa. Was?" Jacek stand neben mir, ebenso wie Sawyer und der Teufel.

„Wohin gehst du?", fragte Eddie.

„Nach Draußen. Ich kämpfe gegen nichts, es sei denn, es hat Reißzähne, abgesehen von euch drei." Ich marschierte um den Tisch herum in Richtung Wohnzimmer, meine Füße kribbelten, um sich zu bewegen, um etwas Produktives zu tun nach einer elfmonatigen Pause. „Es sei denn, Paul fängt einen Kampf an."

Sawyer tauchte vor mir auf und versperrte mir mit seiner Größe den Weg. „Bist du sicher, dass du bereit bist?"

„Nun, ich war schon mal draußen."

Er nahm meine Schultern und neigte seinen Kopf, um mir in die Augen zu sehen. „Ich meine, bist du bereit zu sehen, was kommt."

„Ich bin bereit"

Er trat zurück und rieb sich energisch mit der Hand über die Stirn, als würde er mir nicht ganz glauben. Es muss ein Chaos draußen gewesen seinn, was bedeutete, dass ich wahrscheinlich...

„Klamotten. Ich brauche Klamotten."

„Oder auch nicht", sagten sie unisono.

Ich schnaubte. „Habe ich hier welche, die nur halb zerfetzt sind?"

Die vier schüttelten den Kopf, aber Jaceks Grinsen verriet sie alle.

„Oben im Schrank des Gästezimmers", sagte er. „Da oben müsste genug sein."

Ich flitzte die Treppe hinauf und spürte, wie vier Paare heißer Blicke meinen Hintern streichelten, während ich ging. Ich ließ ihn ein wenig mehr wackeln, weil sie es mehr als verdient hatten. Sogar der Teufel - Luc - auf eine kleine Art und Weise, aber sein Anteil am Wackeln war verhältnismäßig kleiner.

Als ich den Schrank im Gästezimmer betrat, klappte mein Kiefer langsam und stetig zu Boden. Das war kein gewöhnlicher Schrank, wie der, der in meine Wohnung gestopft war. Hier könnte ich eine große Matratze reinschleppen und schlafen. Ich könnte hier mein eigenes Restaurant eröffnen. Oder ich könnte einfach wie ein Mädchen über die Reihen von Stiefeln, Hosen, Hemden und Jacken grinsen. Ich entschied mich für Letzteres, denn verdammt, das war der Himmel. Alles schien genau die richtige Größe zu haben und perfekt zu sein - keine Tennisschuhe, nur Jeans und Yogahosen, kurzärmelige Baumwoll-T-Shirts mit Bugs Bunny, Patrick, Marvin dem Marsianer und dem Rest meiner Lieblingsmotive, und Leder, oh, süßes Leder an diesen geilen Jacken und Stiefeln. Es war in jeder Hinsicht perfekt.

Ich zog mich schnell an und genoss das Gefühl der Kleidung, die über meine Haut glitt. Dieses Haus hatte schon immer meine Empfindungen gesteigert, aber jetzt, als Tote, fühlte sich alles neu und ... berauschend an. Ich wollte mich nie daran gewöhnen.

Cleo war mir nach oben gefolgt und beschnüffelte nun alles, um zu sehen, ob es der Inspektion standhielt, während ich mich auf einen niedrigen Hocker im Schrank sinken ließ, um ein Paar schwarze Nietenstiefel zu schnüren. Mit denen könnte ich so vielen in den Arsch treten. Nämlich-

In dem Spiegel, der an der Innenseite der halbgeschlossenen Schranktür hing, bewegte sich etwas. Nicht Cleo. Sie hatte sich aus der Reichweite des Spiegels verkrochen, und ihr wedelnder Schwanz ließ die Plastikbügel an der unteren Stange zusammenschnappen.

„Hallo?", rief ich.

Meine Vampire würden einfach hereinspazieren. Und der Teufel auch, wenn er mich wieder nackt sehen könnte.

Ich hatte es mir nicht eingebildet. Das *hatte ich nicht*. Ich schnürte meine Stiefel zu Ende und ging dann nachsehen, ob ich wirklich allein war, nur um sicherzugehen. Ja, ich hatte es mir eingebildet. Es war niemand da. Es war genau so, wie ich dachte.

Cleo schob sich an mir vorbei und ging aus dem Gästezimmer, ohne dass ihr ein einziges Haar auf dem Rücken von ihrem Gefühl für fremde Gefahren gesträubt wurde. Die feinen Härchen auf meinem Rücken allerdings schon. Ich folgte ihr fast im Schneckentempo, lauschte, sah und fühlte.

„Jägerin?", sagte Jacek vom Fuß der Treppe aus.

Ich sprang auf und stützte mich mit der Hand auf dem Geländer ab, falls ich herunterfallen würde, bevor ich ihm antwortete.

„Bist du okay?" Sein strahlendes Grinsen schwankte, als er mich musterte. Er trug mehrere Pflöcke bei sich, die genau so geschärft waren, wie ich es bevorzugte, wenn ich es selbst tat - etwa so groß wie ein schöner Schwanz mit einer tödlichen Spitze.

Ich wollte nicht erklären, was nicht geschehen war. Nicht in diesem Moment. „Ich versuche nur, genug Worte zu finden, um mich für den tollen Schrank und alles, was darin ist, zu bedanken."

Eddie erschien neben ihm und lächelte zu mir hoch. „Wir konnten nicht in deine Wohnung gehen, um deinen Kleiderschrank zu plündern, aber das war auch gar nicht nötig. Wir wissen, was du magst."

Das taten sie, in allen wichtigen Punkten.

„Es ist perfekt." Ich ging die Treppe hinunter und bändigte meine wilden Locken zu einem Dutt auf dem Kopf.

Jacek hielt mir einen Pfahl hin, und ich nahm ihn, um meinen Dutt nach Pebbles-Art zu fixieren. Mir wurde ganz warm ums Herz, weil sie mich so gut kannten und alles, was sie für mich getan hatten, bis hin zu den kleinen Details. Nicht, dass ich versucht hätte, irgendetwas vor ihnen zu verbergen - wahrscheinlich hatte ich sogar zu viel von mir preisgegeben -, aber sie hatten gut aufgepasst. Alle drei von ihnen. So eine kleine, selbstverständliche Sache, die man für jemanden tut, aber sie bedeutete mir die Welt.

Ich nahm die restlichen Pfähle und steckte einen in die Innentasche meiner Jacke, einen weiteren in die Gürtelschlaufen hinten an meiner Jeans und einen weiteren in meinen Stiefel. Eddie reichte mir Night's Fall, mein magisches Vogelschwert, und Luc reichte mir den Götterknochen, wobei seine Augen saphirblau funkelten.

Cleo bellte und trottete aus der Küche auf Sawyer zu, der an der Tür wartete, die Hand auf dem Knauf.

„Bist du sicher, dass du bereit bist?", fragte er.

„Verdammt sicher, ich bin bereit."

Er öffnete die Tür.

Kapitel zwei

Ja, nein. Macht nichts. Ich war noch nicht so weit.

Sobald Sawyer die Tür öffnete, brach draußen eine Welle erdrückender Finsternis über ihn herein, eine Wand aus purem Bösen, und dann brach sie nieder. Mitternachtsschwarz erstickte alles draußen - den Himmel, den Hof und sogar die Häuser auf der anderen Straßenseite. Die Luft schmeckte tot und kalt, und obwohl ich nicht einzuatmen brauchte, wusste ich, dass sie mir eisige Nadeln in die Lunge ziehen würde, wenn ich es täte.

Ich hatte Pauls Anwesenheit schon gespürt, vor allem in seiner eigenen Dimension, aber das... Das war etwas ganz anderes. Es war furchtbar.

Ich machte einen zögerlichen Schritt auf die Veranda und steckte den Götterknochen in meine Jackentasche, nur weil ich ihn nicht fallen lassen wollte, während mir ein ständiges Zittern den Rücken hinunterlief. Cleo folgte mir und schob ihre Nase unter meine Hand, damit ich ihre Ohren streicheln konnte.

„Woher kommt das alles, wenn ich Pauls Kraft habe?" Ich verschluckte mich. „Das fühlt sich viel intensiver an."

„Warte, bis du auf dem Friedhof bist", sagte Jacek hinter mir.

„Nach deinem letzten Kampf mit ihm war er eine Zeit lang ruhig." Eddie trat an mir vorbei an den Rand der Veranda. „Und dann begannen bestimmte Leichen von Friedhöfen auf der ganzen Welt zu verschwinden."

„Was?" Ich ließ meinen Blick zu ihm und zu dem Friedhof hinter seiner Schulter schweifen.

„Jägerinnen", sagte er mit grimmigem Gesicht. „Die jüngsten."

Er brauchte es nicht einmal zu sagen. Aus dem quälenden Schimmer in seinen bernsteinfarbenen Augen konnte ich ablesen, dass eine der Leichen, die Paul ausgegraben hatte, Eddies Schwester gewesen war.

„Warum?", flüsterte ich.

Luc umkreiste Cleo und mich, blieb dann stehen und musterte mich genau. „Es fällt ihm am schwersten, dich zu töten. Ich glaube, er sammelt alle Jägerinnen ein und kratzt die Reste seiner Macht von ihren staubigen Knochen. Die Leichen treiben wahrscheinlich in seinem See unter der Falltür."

„Der See ist ein Portal zu seiner Dimension", sagte ich.

„Nun, Scheiße." Der Teufel fuhr sich mit der Hand durch sein blondes, mit Diamanten besetztes Haar und sah mit angespanntem Kiefer weg. „Wahrscheinlich sammelt er dort auch eine Menge Energie. Hätte ich das gewusst, hätte ich sein verdammtes Seeportal-Ding nicht *zurückverlegt.*"

Er schien aufrichtig sauer auf sich selbst zu sein, was für den sonst so arroganten Teufel ein ganz anderer Ausdruck war.

„Ich bin mir nicht sicher, woher du das wissen konntest. Paul ist sowieso nicht gerade der Typ Gott, der einem die Ohren vollquatscht." Es war mir irgendwie unangenehm, ihn zu beruhigen, also legte ich meine Hand auf Eddies Rücken und teilte ihm mit, wie sehr es mir leid tat, dass Jägerinnen aus ihren Gräbern geholt wurden, vor allem seine Schwester. „Wir werden sie zurückholen und sie wieder begraben, okay?"

Er nickte zu den Stufen der Veranda hinunter.

Sawyer trat neben Eddie, seinen Blick auf mich gerichtet. „Jetzt, wo Pauls See wieder unter der Falltür ist, glauben wir, dass er alle Leichen der Jägerinnen gesammelt hat, die er seit der Verlegung in die Villa vermisst hat. Wenn sein See ein Portal ist, ist diese Dunkelheit dann Pauls Versuch, diese Dimension zu übernehmen?"

Ich nickte. „Ich glaube, das ist sein Ziel, ja. Ich habe etwas Ähnliches im See gesehen, das ein Bild zeigt, als Paul zum ersten Mal hierher kam."

Jacek seufzte. „Das bedeutet also, dass du die Einzige bist, die ihn aufhalten kann, richtig?"

Luc drehte sich um und sah mich an. „Wenn er dich tötet, muss ich schnell genug sein, um deine Jägerinnenkraft auf jemand anderen zu übertragen. Aber all diese Dunkelheit einzudämmen und die Menschen vom Friedhof zu vertreiben, erfordert viel von meiner Konzentration und Magie. Er ist ein Gott, der immer mächtiger wird, und ich... bin es nicht."

Er hat mich heute Abend mit seiner unverblümten Ehrlichkeit immer wieder überrascht. Er zeigte eine verletzliche Seite, die ich noch nie gesehen hatte, und das war schön. Seltsam, aber schön. Und nein, das bedeutete nicht, dass ich für ihn die Hosen runterlassen würde. Niemals.

Ich lächelte ihn jedoch an, um ihm zu zeigen, dass ich es zu schätzen wusste. „Paul wird mich nicht umbringen. Dauerhaft, meine ich." Das war ein Versprechen, Kartoffelbrei im Kopf und so.

Luc sah mich lange an, ein langsames Lächeln umspielte seine sündigen Lippen. „Deshalb habe ich es ja gesagt. Ich zweifle nicht daran, dass er dich nicht für immer töten wird."

„Kannst du den See noch einmal verlegen?", fragte ich. „Die Macht, die er in den Körpern der Jägerinnen gesammelt hat, wegnehmen?"

„Er hat die Falltür geschlossen. Keiner kommt rein, nicht einmal er." Jacek nickte Luc zu.

„Und wie hast du ihn beim ersten Mal bewegt?", fragte ich.

Luc zuckte mit den Schultern, seine Lederjacke knarrte bei der Bewegung." Er hat mich damals nicht kommen sehen. Er weiß, dass ich jetzt hier bin, nach unserem Rendezvous in der Senatsvilla."

Blöde Türen und ihre ständige Unwilligkeit, sich wie eine funktionierende Tür zu verhalten. „Wir müssen also die Falltür öffnen, damit Paul da rauskommt?"

Luc nickte. „Das sollte genügen."

„Okay." Ich umging sie alle und flitzte dann die Stufen hinunter, die zum Bürgersteig führten.

Bald versperrte mir eine Wand den Weg, die aus drei Vampiren und einem Teufel bestand. Die solideste, muskulöseste Art von Wand, die man sich vorstellen kann.

„Was glaubst du, wo du hingehst?", fragte Jacek.

„Ich werde an die Falltür klopfen und Paul zum Spielen einladen, damit der Teufel natürlich seinen Seezauber ausüben kann."

Die unerschütterliche Mauer zog sich um mich zusammen.

„Belle, du warst elf Monate lang außer Gefecht", sagte Sawyer. „Nimm dir wenigstens einen Tag Zeit, um dich zu erholen."

„Aber ..." Ich deutete auf meine Beine, die sich bereits prächtig unter mir befanden, obwohl ich seine Sorge durchaus verstand. „Ich weiß, dass ihr euch Sorgen um mich macht, und ich liebe euch noch mehr dafür..."

Ein kreischendes Stöhnen ertönte aus der Richtung des Friedhofs und durchbrach die stille, dunkle Nacht so laut wie ein Donnerschlag. Wir fünf - und Cleo - wirbelten herum und starrten vor uns hin, völlig still. Wir warteten darauf, dass etwas passierte. Als nichts passierte, schritt ich an den Jungs vorbei und ging auf das Friedhofstor zu. Cleo hüpfte als mein pelziger, rebellischer Kumpel mit mir mit.

„Sunshine, muss ich dich jetzt fesseln?", fragte Eddie von hinten.

„Ja, bitte tu das. Nach meiner Patrouille." Allerdings gab es hier keinen einzigen neugeborenen Vampir. Doch meine juckenden Füße und Magenkrämpfe trieben mich in die Richtung, in die ich gerade spazierte.

Nein. Nicht spazieren. Meine Schritte zögerten. Woher war das überhaupt gekommen? Ich hatte dieses Wort inoffiziell aus meinem Wortschatz verbannt.

Ich kam zum Stillstand, aber das Geräusch meiner Schritte ging weiter. *Schritt. Schritt. Schritt.*

Was zum Teufel war hier los? Die Schritte wurden lauter und hallten in meinen Ohren wider, bis sie das Einzige waren, was ich hörte. Sie übertönten sogar die Stimmen meiner Vampire und des Teufels, die alle vor mir aufgesprungen waren und mich mit tiefen Falten zwischen den Augen anstarrten.

Sie sind nicht gelaufen. Keiner von uns machte das Geräusch des Gehens.

„Hört ihr das nicht?" Ich schrie es, um mich selbst über die stetigen Schritte zu hören. Sie kamen näher.

„Was hören?", murmelte Sawyer, oder vielleicht sagte er es auch laut.

Schritt. Schritt. Sie kamen von hinten und schlichen sich an, während ich ihnen den Rücken zuwandte. Ich drehte mich um. Und erstarrte.

Paul. Paul war da, er schlich nicht hinter mir her, sondern kletterte die Stufen der Veranda meines Vampirhauses hinauf. Ich erkannte ihn sofort in seiner menschlichen Gestalt. Ich würde ihn auch in seiner Göttergestalt sofort erkennen. Die

Tür des Hauses schlug vor ihm zu, ohne dass er sie auch nur berührte, und der warme Schein im Inneren des Hauses hob sein fettiges langes Haar und die Streifen auf den Ärmeln seines Bowlinghemdes und seinen Schuhen hervor. Er schritt hinein, und das Geräusch der Schritte verstummte.

„Paul!", rief ich und schoss auf ihn zu. Oh nein, das tat er nicht. Nicht in meinem Vampirhaus, und seien wir ehrlich, nicht in *meinem* Haus.

„Belle!," rief Sawyer mir nach.

Aber ich war schon auf halbem Weg die Verandastufen hinauf, meine Vampir-Schrägstrich-Jägerin-Geschwindigkeit trug mich schneller, als ich mich je zuvor bewegt hatte.

„Paul, ich bin hier!" Ich stürzte hinein und suchte überall nach ihm. Warum war er hier drin? Er muss mich doch gesehen oder gespürt haben, dass ich draußen war. Wollte er hier noch etwas anderes, als dass ich tot bin? Nicht Night's Fall. Nicht den Götterknochen. Ich hatte beides bei mir.

„Sunshine, was..." rief Eddie, aber die Eingangstür schlug zu und schnitt ihm das Wort ab.

Ich bin die Treppe hinauf geflitzt. „Paul!"

Warum ist er nicht auf mich losgegangen? Hatte ich mit dem Götterknochen die kritische Stelle seines Kopfes getroffen, an der die Jägerin sterben muss? Ich wusste nicht einmal, wo ich ihn gestochen hatte. Wo *war* er?

Gerade als es so klang, als würde die Haustür explodieren, stürmte ich in das Gästezimmer. Meine Vampire schrien von unten nach mir, aber ich musste Paul finden. Die Schranktür stand offen und bewegte sich leicht hin und her, als wäre gerade etwas vorbei gehuscht. Ich rannte darauf zu. Wenn er drinnen war, konnte er nirgendwo hin. Gefangen, die Beute meines Raubtiers, eine super nette Abwechslung für einmal.

Aber der Schrank war leer. Ich wirbelte herum, ein langes Zischen entrang sich meinen Reißzähnen, und sah mich im Spiegel an der Rückseite der Schranktür.

Moment. Seit wann haben Vampire Spiegelbilder?

Ich blieb stehen und starrte. Ein kalter Schauer lief mir den Rücken hinunter. Paul sah mich aus dem Spiegel heraus an, er stand genau so da, wie ich stand, als wäre er ich. Oder ich war er. Beides stimmte in gewisser Weise, denn ich hatte seine Kraft.

„Jägerin!", rief Jacek von irgendwo in der Nähe.

Paul stürzte sich auf mich. Seine Arme sprangen aus dem Spiegel, packten den Pfahl in meinem Dutt und rissen mich nach vorne, bevor ich reagieren konnte. Mein Kopf prallte gegen den Spiegel, winzige Glassplitter gruben sich tief in meine Haut. Dann stieß Paul mich zurück und trat vom Spiegel weg, den Pfahl in meinem Dutt nun fest in seiner Faust. Ich stolperte, Blut floss aus dem Glas an meiner Stirn.

„Das Spiel beginnt, Paul." Ich winkte ihn mit einer Hand zu mir heran, um ihn abzulenken, während ich mit der anderen den Götterknochen in meiner Tasche festhielt. „Zeig mir, was du drauf hast."

Der Pflock auf meinem Kopf, das war's. Tödlich für einen Vampir wie mich. Scheiße...

Ich schlug mit dem Götterknochen zu, und er sprang weg, bevor der Knochen ihn aufschlitzte.

Er näherte sich wieder langsam, mit einem finsteren Blick, und ich merkte, dass ich in eine Ecke des Schlafzimmers gedrängt wurde, genau zwischen die Seite des Bettes und das Fenster.

Aber das würde einfach nicht gehen. Ich blieb stehen und blieb stehen, als der kleine Abstand zwischen uns schrumpfte, und lockerte meinen Griff um den Götterknochen gerade genug, um ihn durch die Luft zu schleudern.

„Belle!" Sawyer erschien in der Schlafzimmertür, aber ich wagte es nicht, meinen Blick von Paul zu lösen.

Ich rollte meinen Arm zurück, bereit, den Gottknochen fliegen zu lassen.Sawyer wurde von einer blutdicken Welle der Besorgnis überrollt. Sein Körper spannte sich an. Sein durchdringender Blick war nur auf mich gerichtet... nicht auf Paul.

Mein Griff um den Gottesknochen schwankte.

Etwas war falsch.

Ein Rauschen kratzte an meinem Kopf. Früher konnte ich es mit meinen Gedanken abschalten. Jetzt nicht mehr.

Die Zeit schien sich sowohl zu beschleunigen als auch zu verlangsamen, aber ich war mir nicht sicher, warum. Ich war mir über gar nichts sicher, auch nicht darüber, warum meine Beine, über die ich mich so gefreut hatte, sie unter mir zu sehen, nicht mehr da waren. Mein Rücken knallte gegen etwas Hartes, und eine Sekunde später zersprang Glas. Ich war gefallen. Aus dem Fenster? Aber wie?

Sawyer war bereits quer durch den Raum auf mich zugeeilt, den Arm ausgestreckt. Seine Augen waren groß, panisch, als seine Fingerspitzen über meine strichen.

Und verfehlten.

Ich stürzte hinunter, hinunter, mein Bauch überschlug sich, und meine Geschwindigkeit peitschte mir die Strähnen meines Duttes ins Gesicht. Der Boden unter mir stürzte auf mich zu, ich prallte auf ihn und prallte ab. Ich lag wie betäubt da und starrte auf das zerbrochene Fenster im zweiten Stock, aus dem ich gerade herausgefallen war. Rausgestoßen wurde. Rausgefallen? Ich versuchte zu entschlüsseln, was gerade passiert war, als die Haustür aufsprang und vier Männer und ein Hund in einem Ansturm von wahnsinniger Sorge herauskamen.

„Sunshine, geht es dir gut?"

„Was zum Teufel ist gerade passiert, Jägerin?"

„Jesus Christus!"

„Belle." Sawyer kniete neben mir und nahm mein Gesicht in seine großen Hände. Sein hektischer Blick suchte meinen Körper nach Verletzungen ab, obwohl ich ein Vampir war.

Ich hatte keine Verletzungen. Sogar meine mit Glas gefüllte blutige Stirn fühlte sich perfekt verheilt an. Ich war nicht außer Atem, weil ich keine Atemluft hatte. Es hatte nicht einmal richtig wehgetan, als ich gelandet war, was an und für sich schon ein Schock war. Aber der zweite Schock, der stärkste, war, dass

Paul noch nicht wieder aufgetaucht war. Er war nicht aus dem Haus gekommen, um zu sehen, ob ich tot war, und dann den Job zu beenden. Was er tun würde. Keine Frage. Hier stimmte etwas ganz und gar nicht.

„Sag etwas", sagte Sawyer mit Verzweiflung in der Stimme.

Ich zwang mich zu einem Blinzeln und richtete meine ganze Aufmerksamkeit auf ihn, auf die Sorge, die tief in sein wunderschönes Gesicht geätzt war.

Cleo wollte über den Hof auf mich zugehen, aber ich hielt eine Hand auf. „Da ist Glas."

Luc riss seinen Blick von mir los und gab einen kurzen, zischenden Laut zu Cleo. Sie setzte sich sofort auf und blähte ihre Brust auf.

Ich blinzelte Sawyer an. „Das wird dich lehren, dort ein Fenster einzubauen."

Jacek lachte und stützte seine Hände auf die Knie, seine Augen waren geschlossen, sein Gesicht schmerzverzerrt. Ich hatte ihm diesen furchtbaren Gesichtsausdruck verpasst, aber ich war mir immer noch nicht ganz sicher, wie. Ich brauchte sein strahlendes Lächeln, und davon gab es zu wenig.

„Ich nehme an, es ist mein neues Lebensziel, zu sehen, wie viele Löcher ich in euer Haus machen kann. Manchmal entpuppen sich meine Lebensziele als wirklich beschissen, wie damals, als ich in der zweiten Klasse verkündete, dass ich Prostituierte werden wollte."

Sawyers Augen weiteten sich.

„Ich mochte, wie sie angezogen waren", sagte ich verlegen.

Eddie schüttelte den Kopf, sein wildes blondes Haar streifte seine Brille. „Es ist wichtig, Ziele zu haben. Auch wenn sie beschissen sind."

„Ich werde für den Schaden aufkommen."

„Das ist die geringste unserer Sorgen, Belle", sagte Sawyer.

Ich blickte über seine Schulter auf die offene Tür des Hauses, die offen stand, weil die Tür seitlich aus den Angeln hing.

„Habe ich die Tür auch kaputt gemacht?", fragte ich, weil ich mich nicht erinnern konnte. Die Erinnerungen ordneten sich neu und ergaben keinen Sinn unter der dicken Schicht Kartoffelbrei, die in meinen Kopf eingedrungen war.

Sawyer runzelte die Stirn über etwas, das ich nicht sehen konnte, und schien eine innere Debatte mit sich selbst zu führen, während eine Grimasse nach der anderen über sein Gesicht rollte. Schließlich hielt er etwas hoch, damit ich es sehen konnte. Einen meiner Pfähle.

„Der wurde von innen in die Tür geklemmt", sagte er.

Ich tastete meine Jacke ab, nur um sicherzugehen, denn drei Vampire, ein Hund und ein Teufel verfolgten jede einzelne Bewegung, und ich fand nichts. Der Pflock in meiner Jackeninnentasche war weg, und ich würde mindestens hundert Pennies darauf wetten, dass ich es war, der ihn unter der Tür verkeilt hatte, damit meine Vampire nicht reinkommen konnten. Warum zum *Teufel* sollte ich das tun?

„Paul ist nicht da drin, oder?", fragte ich, und meine Stimme klang etwas wackelig.

„Wir haben ihn nie gesehen." Eddie presste seine Lippen zu einer festen Linie zusammen. „Das heißt aber nicht, dass du nichts gesehen hast."

Ich hatte etwas gesehen. Oder dachte, ich hätte es gesehen. Aber wenn nicht, dann... Ein Zittern durchlief meinen Körper, angefacht durch den größten Schrecken, den ich je erlebt hatte. Meine Muskeln verkrampften sich, und ich biss die Zähne zusammen, um nicht zu schreien. Wie viele meiner Erlebnisse mit Paul waren in all der Zeit tatsächlich real gewesen? Was für eine entsetzliche Frage, deren Antwort ich vielleicht nie erfahren würde.

Als Sawyer meinen zitternden Körper sah, nahm er mich in die Arme und ging ins Haus. Ich lehnte meinen Kopf an seine Brust und spürte, wie seine Stärke mich umhüllte, und wie seine Anwesenheit und Wärme es immer taten, hätte mich das eigentlich beruhigen müssen. Das tat es aber nicht, denn er konnte mich nicht von mir selbst wegtragen.

„Lass uns reingehen, damit du dich ausruhen kannst." Seine Brust grummelte unter meiner Wange.

„Aber Paul ist doch echt, oder?", fragte ich.

„Es gibt ihn wirklich, Belle", sagte Luc hinter uns, ein dunkles, samtiges Flüstern. „Er ist zu real."

Sawyer trug mich durch die Tür, und Jacek flitzte um uns herum, um die Kissen auf der Couch aufzuschütteln.

„Luc", sagte Eddie, so leise, dass ich nicht sicher war, ob ich es hören sollte. „Kannst du Detective Appelt finden und ihn herbringen? Wir müssen ihre Jägerinnenkraft *ausschalten*, bevor..."

Sawyer legte mich gerade noch rechtzeitig hin, um zu sehen, wie Eddie sich mit den Fingern durch sein wildes Haar fuhr und die Augen schloss, als könnte er den Satz nicht zu Ende bringen.

Bevor mein Gehirn versagte und ich es Paul *sehr* leicht machte, mich zu töten.

Kapitel drei

Wie baut man eine Vampirpyramide? Ganz einfach. Verliebe dich in drei wahnsinnig heiße Vampire, lass sie ihre perfekten Ärsche auf die Couch setzen und dann strecke dich über ihren Schoß und schlafe dort. Bonuspunkte gibt es, wenn man gleichzeitig einen Hund krault.

Ich schlief tief und fest, mein Gesicht an Cleos Hinterkopf gedrückt, ihr weiches Fell klebte an meinen Lippen. Sie schien nicht um ihre Sicherheit besorgt zu sein, so nah bei mir, und ich vertraute auf ihre Instinkte. Ich konnte mir einfach nicht vorstellen, sie zu *fressen*. Allerdings konnte ich mir auch nicht vorstellen, mich aus dem Fenster zu stürzen. Ich hatte versucht, meinen Vampiren zu erklären, was passiert war, was schwer war, weil meine Erinnerung daran bereits verblasste, als wäre es nur ein trüber Traum gewesen.

Meine Vampire schliefen auch, alle sechs Hände berührten irgendeinen Teil meines Körpers, immer schützend. Scheinbar automatisch, selbst im Schlaf, zeichneten sie die Linien meiner Arme und Beine nach, die Kurve meiner Hüften, prägten sich ein, fühlten, besaßen mich mit ihren Berührungen. Ich wusste das, denn als ich aufwachte und Cleo in der Küche ihr Wasser plätscherte, waren sie immer noch dabei, immer noch ohnmächtig. Während wir schliefen, zündete jeder Kreis, den sie mit ihren Fingerspitzen oder dem Pinsel ihrer Handflächen auf meinem Körper zogen, eine Lunte an, die zunächst klein war. Dann entzündete sie sich und brannte sich durch alle meine Ängste und meinen Blutdurst, bis mein ganzer Körper summte. Meine Muschi schmerzte so sehr, dass es wehtat. Ich wippte mit den Hüften gegen Jaceks Oberschenkel, um die Spannung zu lösen, und stöhnte erneut, als mein Slip und meine Jeans an meinem Kitzler rieben.

Er bewegte sich unter mir, seine Finger streiften die Haut unter meinem Hemd und glitten zu meinem Bauch. Dann wanderten seine Finger weiter nach unten in den Bund meiner Jeans. Er nahm eine Handvoll meines Slips und zerrte kräftig daran, so dass er sich köstlich an mir rieb. Ich stöhnte laut auf und meine Hüften rollten, um sich an dem Stoff zu reiben.

Sawyer und Eddie bewegten sich auf beiden Seiten von Jacek. Jemand legte seine Hand auf meinen Hintern - Eddie, glaube ich - und drückte zu, um mich noch stärker in meine Stöße zu treiben.

Ein tiefes Grollen kam von Sawyer, der mir mit einer Hand die Haare aus dem Gesicht strich und mit der anderen den Stoff meines Hemdes über meinen Rücken zog. Er zog es mir aus und strich dann mit seinen Händen über meine Haut zum Verschluss meines BHs.

Jacek nahm seine Hand von der Vorderseite meiner Hose und griff mit einem lauten Stöhnen direkt nach dem Knopf und dem Reißverschluss. Eddie zog mich in eine sitzende Position auf Jaceks Schoß und führte mich dann auf meine Füße, während Jacek mir langsam die Jeans und das durchnässte Höschen von den Beinen zog. Eddie berührte grob eine meiner Brüste, während er meine Hand nahm und sie auf seinen steifen Schwanz in seiner Hose legte. Ein Schauer durchlief mich. Sawyer hatte sich bereits auf meine andere Seite gestellt und ließ seine Lippen über meine nackte Schulter gleiten, die Finger seiner beiden Hände fuhren in mein zerzaustes Haar. Jacek, der immer noch auf der Couch saß, drückte Küsse auf meine Hüften, meine Taille und meinen Hintern, während er meine Jeans bis zu den Knien schob. Dann fuhr er mit seinen Fingern an den Innenseiten meiner Beine hinauf, bis er meine triefende Muschi fand. Als er zwei von ihnen in mich schob, fing Sawyer mein Stöhnen mit einem tiefen, hungrigen Kuss auf.

Ich zitterte so sehr vor Verlangen, dass meine Beine fast nachgaben. Es pochte in mir, bis mein ganzer Körper sich krümmte und pulsierte, ein Herzschlag, der nach süßer Erleichterung rannte. Ich wand mich gegen Jaceks Finger, fickte Sawyers Mund mit meiner Zunge fester und rieb Eddies Schwanz, der kurz davor war zu platzen, weil ich die drei so dringend brauchte.

Ich löste mich aus Sawyers Kuss und starrte in seine verschlossenen, hungrigen roten Augen. „Fick mich. Ich will, dass ihr mich alle fickt."

Ich habe noch nie drei Vampire gesehen, die sich so schnell ihrer Kleidung entledigt haben.

Jacek setzte sich auf die Couch, mit dem Hintern ganz am Rande des mittleren Kissens, dann legte er sich zurück, die Füße auf den Boden, so dass sein Kopf von den Rückenkissen gestützt wurde. Er führte mich zu sich heran, so dass meine Knie seinen Oberkörper auf der Couch umklammerten, dann führte er meine Hüften nach vorne, so dass ich auf seinem Gesicht saß. Er ließ seine Nase über meine Falten gleiten und grinste, als ich über ihm erzitterte.

„Du riechst, als würdest du gleich gefickt werden, Jägerin." Seine roten Augen auf meine gerichtet, fuhr er mit seiner Zunge über meinen Kitzler.

Ich wimmerte und hielt mich an der Rückenlehne der Couch fest, während Sawyer mit einem Knie auf dem Kissen neben mir kniete und seine Hand bereits seinen riesigen Schwanz auf und ab pumpte.

„Schmeckt auch so", knurrte Jacek und zog mich dann auf seinen Mund herunter.

Ich schrie auf, wieder und wieder, aber Sawyer war da, um es mit seinen Lippen und seiner Zunge und ein bisschen Reißzahn zu dämpfen. Ich verlor jegliche Kontrolle, meine Hüften fuhren wie wild auf Jaceks Gesicht, während er mich mit seiner Zunge fickte.

Sawyer löste sich von meinem Kuss und stützte sich mit einem Fuß auf der Couch ab, sein hartes Glied befand sich nun in Höhe meines Mundes. Er hob mein Kinn an, damit ich ihn ansah. „Pass auf die Reißzähne auf, okay?"

Ich nickte, wickelte meine Hand um seinen Schaft und nahm ihn in den Mund, so weit ich damit umgehen konnte. Mit seinem Schwanz in meinem Mund und Jaceks Zunge in meiner Muschi schoss eine Flut von Empfindungen über meinen Rücken, die mich einem starken Orgasmus und einer süßen Erleichterung näher brachten. Doch eine Hand legte sich von hinten um meinen Bauch und drückte gegen mich, um mein Tempo zu verlangsamen.

„Nicht so schnell, Sunshine", flüsterte Eddie mir ins Ohr. „Nicht ohne mich."

Er trat dicht hinter mich, sein harter Schaft rieb an meinem Hintern. Er glitt leicht über meine Haut und war mit Gleitmittel benetzt, das seinen Schwanz wie eine magische schwanzförmige Bibliothek riechen ließ.

Ich stöhnte um Sawyers Länge herum, dann spreizte ich meine Beine über Jacek und lehnte mich noch ein wenig weiter nach vorne, dann stöhnte ich wieder bei dem anderen Winkel von Jaceks Zunge. Sawyer warf seinen Kopf zurück und verhedderte seine Hand in den Haaren an meinem Hinterkopf, seine Hüften stießen gegen mein Gesicht. Ich streichelte und saugte ihn schneller ab und versuchte, ihn tiefer in mich aufzunehmen. Hinter mir spreizte Eddie meine Arschbacken und stieß mit seinem Schwanz gegen mein Arschloch.

Scheiße. Das war so heiß, dass ich fast nicht glauben konnte, dass es passierte. Drei Vampire - meine Liebsten, meine Beschützer, meine Vertrauten - auf einmal. Sie waren dabei, mich auf jede erdenkliche Weise auszufüllen.

Langsam sank Eddie in mich ein. Ich beruhigte meine Stöße in Jaceks Gesicht, um mich an Eddie zu gewöhnen, dann stöhnte ich um Sawyers Schwanz herum. Mit einem Knurren griff Sawyer mit beiden Händen in mein Haar und zog, so dass mein Mund und meine Hand schneller an seinem Schwanz entlangfuhren und tiefer wurden. Jaceks Zunge kreiste um meine Klitoris, und ich bockte gegen ihn und zog Eddie noch tiefer in mich hinein. Ich schrie auf bei all den Empfindungen, die mich durchströmten, und beschleunigte mein Tempo auf Jaceks Zunge. Eddie passte sich meinem Tempo an, während er meinen Arsch fickte und seine Arme um meine Brustwarzen schlang, um sie zu drücken und zu reiben. Der Schlag seiner Hüften, Sawyers glitschiger Schwanz, der hinten in meiner Kehle aufschlug, und Jaceks kreisende Zunge lösten einen gewaltigen Orgasmus tief in mir aus.

„Mmmmmmmm", brummte ich um Sawyer herum.

Sie fickten mich durch, ihr Tempo war unerbittlich.

Dann zog sich Jacek mit einem spermaverschmierten -Grinsen zurück. „Bleib genau da, Jägerin. Ich bin noch nicht fertig mit dir." Er schob sich die Lehne der Couch hoch, so dass ich mich auf seine Hüften statt auf seinen Mund stützte.

Auch wenn mein Kopf in Richtung Sawyer zeigte, musste ich nicht sehen, dass Jacek hart und bereit war. Ich winkelte meine

Hüften leicht an, zog Eddie mit mir und sank auf Jacek herab. Die völlige Fülle hätte mir den Atem geraubt, wenn ich welchen gehabt hätte, aber die doppelte Penetration tat nicht weh. Ich war nass und erregt genug, dass mir nichts mehr wehtun würde, nicht mit diesen dreien.

Jacek nahm eine meiner Brustwarzen in den Mund und biss und saugte und leckte sie, während ich ihn ritt. Eddie passte sich meinem Tempo von hinten an, und ich saugte an Sawyer, wir alle in perfektem Gleichklang. Ein köstliches Kribbeln kräuselte sich in meinen Zehen, und ich pumpte schneller, nahm sie alle tiefer in mich auf. Mehr. Mehr. *Noch mehr.*

Ein weiterer Orgasmus brach aus mir heraus, dieser war noch stärker als der letzte. Eddie stöhnte seine Erlösung in meine Schulter und grub seine Finger fest in meine Hüften. Er biss seine Reißzähne in mich, während Jacek mit einem Knurren kam. Sawyer stieß einmal, dann noch zweimal in meine Kehle und brüllte dann, als sein salziger Samen auf meine Zunge floss. Jacek krallte seine Reißzähne um meine Brustwarze. Ich stöhnte bei dem köstlichen Schmerz auf, meine Muschi pulsierte immer noch um ihn herum, und schluckte. Sawyer sank neben mir auf die Couch und kratzte mit seinen Reißzähnen an meiner Halssäule entlang, bevor er zubiss.

Ich sank in ihre Arme, völlig gesättigt nach meinem gründlichen Fick, aber großer Durst brannte durch meinen Körper. „So ... durstig", röchelte ich.

Innerhalb einer Sekunde lagen drei Handgelenke vor meinem Gesicht, aus denen frisches Blut tropfte. Grinsend saugte ich an jedem von ihnen und achtete auf die verschiedenen Geschmacksrichtungen.

„Jacek, du schmeckst wie Frühlingsregen", sagte ich. „Und Sawyer, du schmeckst wie Lavendel, der im Wald wächst. Eddie, du bist Tinte auf Papier. Oh Gott, ihr alle riecht auch so." Ich schloss meine Augen, um in ihren Essenzen zu baden. Offenbar meine Lieblingsessenzen, denn ich konnte nicht genug davon bekommen.

Sawyer zog sich von meinem Hals zurück und leckte mein Blut von seinen Reißzähnen. „Jetzt weißt du, wie es für uns ist, mit deinem Sonnenschein und deinem Lustgeruch."

Jacek leckte meine Brustwarze sauber und zog sich zurück, ein seliges Lächeln auf seinem Gesicht. „Und Geschmack."

Eddie küsste sich meinen Rücken hinauf bis zu meinem Ohr. „Es ist wie eine Droge. Oder zumindest für manche."

„Mmmmm." Das war mein Einverständnis. Ich war zu weggetreten, um viel anderes zu tun.

Wir lösten uns voneinander, und dann schwebte ich auf einer Wolke von Nach-Sex-Glückseligkeit die Treppe hinauf, um zu duschen und mich umzuziehen. Ich war mir ziemlich sicher, dass ich immer noch Glas in meinen Haaren hatte, von meiner plötzlichen Begegnung mit dem Fenster. Es war mit Brettern vernagelt worden, ebenso wie die Haustür, und würde bald ersetzt werden. Ich hoffte nur, ich würde nicht wieder halluzinieren.

Nach meiner Dusche fand ich Roseffs Buch, das der Jägerinnen-Senat über ihn geschrieben hatte, und hüpfte dann zur Treppe, wobei ich mich so gut fühlte wie seit... noch nie. Zwei Arten von Macht stürmten gleichzeitig durch mich, wirbelten und peitschten mich in einen sexhungrigen Vampir und eine Jägerin, und endlich - zumindest jetzt - hatte ich genug. Gut, dass meine Vampire mit mir mithalten konnten. Sonst wäre ich sicher, dass ich ihnen die Schwänze wegficken könnte, und das wäre für alle ein echter Reinfall.

„Wisst ihr was, Leute?" rief ich auf dem Weg nach unten. „Ich fühle mich jetzt richtig sexuell gesättigt."

Unten an der Treppe angekommen, fand ich die mit Brettern vernagelte Eingangstür offen, die von Sawyer gehalten wurde. Jemand schritt herein, blond und männlich, in Jeans und einem einfachen weißen T-Shirt. Orange-gelbe Augen, ein vertrautes Gesicht. Ein Vampir, genau wie ich.

Kommissar Appelt, mein Vater, da war ich mir zu 99 Prozent sicher. Hier, genau dann, als ich gerade verkündet hatte, wie sexuell gesättigt ich war. Nun, jetzt war so gut wie jeder andere Zeitpunkt, um alles über mich zu erfahren. Ich könnte genauso gut mit meinem Sexualleben anfangen und von da aus weitermachen.

Er hielt inne, als er meinen Blick traf. „Belle, ich..." Eine Mischung von Emotionen spielte über sein Gesicht, jede einzelne entsprach genau meinen Gefühlen, bevor er sich zu einem schüchternen Lächeln mit einem Hauch von Traurigkeit entschloss. „Ich bin froh, dass es dir gut geht."

Ich nickte und wusste nicht, was ich sonst sagen sollte. Wie sollten diese Art von Gesprächen beginnen? Mein Magen verknotete sich, während mir eine Menge Fragen durch den Kopf schossen, schneller als ich sie aufnehmen konnte. Schließlich entschied ich mich für eine direkte, auf den Punkt gebrachte Antwort: „Bist du bereit, mir alles darüber zu erzählen, wie ich deinen Lenden entsprungen bin?"

Kapitel vier

Detective Appelts Gesicht verfinsterte sich, ein Hauch von Rot schimmerte um seine Iris. „Nicht, wenn du das so ausdrücken willst. Deine Mutter war eine gute Frau."

Ich drehte ihm den Rücken zu und ging mit Roseffs Buch in Richtung Küche, wobei ich meine Bewegungen locker hielt, obwohl mein Körper alles andere als das war. Ich wusste sehr wohl, wie meine Mutter war, aber ein plötzlicher Drang, ihm wehzutun, ihn zu verprügeln, kitzelte mich auf der Zunge. Er hatte bewiesen, dass er nichts mit mir zu tun haben wollte, also stand sein Versuch, sich zu verteidigen, nicht gerade auf meiner Oh-das-wird-Spaß-machen-Liste. Gleichzeitig war ich durch das Leben und den Tod etwas gealtert und hatte es satt, wie schwer alles war, selbst als ich noch eine normale Jägerin war. Vielleicht war es auch für ihn schwer gewesen.

Jacek und Eddie waren bereits in der Küche und lehnten an der Arbeitsplatte neben dem Kühlschrank.

„Detektiv", sagte Jacek mit einem Nicken.

„Jacek. Eddie", sagte der Detektiv.

Ich nahm an, dass der Detektiv mit meinen Vampiren per Du war, weil er viel Zeit im Holzschuppen im Hinterhof verbracht hatte. Einer meiner Vampire war jeden Tag hinausgegangen, um ihn zu füttern, als wäre er eine Art vampirisches Nutztier.

Wir saßen uns am Küchentisch gegenüber, und die Stille dehnte sich aus, bis die Luft vor Spannung zu zerreißen schien, bis Sawyer sich neben mich setzte und meine Befürchtungen etwas zerstreute. Cleo trabte zu dem Detektiv und winselte, damit er ihr die Ohren kraulte. Er gehorchte, denn wie könnte er auch nicht?

Ich räusperte mich und legte das Buch von Roseff auf den Tisch. „Fangen wir mit etwas Leichtem an, zum Beispiel wie du mir auf dem Polizeirevier meine Jägerinnenkraft gestohlen hast, ohne dass die Welt untergeht."

Detective Appelt nickte, tiefe Falten zogen sich über seine Stirn. „Dein Freund, der Teufel, hat mich darüber aufgeklärt, was passiert ist. Ich habe es mit einer Pflanze gemacht."

Eddie trat näher an den Tisch heran, die Neugierde hinter seiner Brille brannte hell. „Wie bitte?"

„Man nennt es eine Leichenblume", sagte der Detektiv.

Ein seltsames Glucksen entrang sich meinem Mund. „Eine Leichenblume? Wie passend."

Er nickte. „Sie sind in der Decke der Zelle, in der du warst, in allen Zellen da unten. Sie ernähren sich von der Kraft der anderen, speichern sie für sie, wenn die Kraft gefährlich ist."

So wie bei mir, eine tickende Zeitbombe, die in meinem Kopf hochgehen würde. „Und wie funktioniert diese Leichenblume an der Decke?" Wow, das war ein Satz, von dem ich nie gedacht hätte, dass ich ihn sagen würde.

„Wie die meisten Pflanzen, nur dass sie nicht Kohlendioxid, sondern Strom aufnehmen."

„Aber noch einmal, wenn das Universum seine Jägerin braucht und die Kraft der Jägerin von einer Pflanze gefressen wurde, wie konnte das Universum dann nicht im Chaos versinken?", fragte ich.

„Pflanzen sind lebende, atmende Organismen, Sunshine", sagte Eddie.

„Aber ... *das bin ich* nicht", erinnerte ich ihn. „Nicht mehr."

„In gewisser Weise *bist du* aber immer noch lebendig. Du hast Denkprozesse, du bekommst Durst, du ... äh ..." Eddie räusperte sich mit einem Blick auf den Detektiv. „Du sehnst dich nach Gesellschaft."

Ich schenkte ihm ein Lächeln. „Okay. Ich verstehe, worauf du hinaus willst. Im Grunde war diese Leichenblume eine Zeit lang die Jägerin. Eine knallharte Jägerinnenpflanze."

Cleo hob ihren Kopf von ihren Ohrenkratzern und knurrte.

„Natürlich nicht so knallhart wie du", sagte ich ihr.

Zufrieden grinste sie den Detektiv an und stupste seine Hand an, um weitere Haustiere zu bekommen.

„Diese Leichenblume frisst also Magie..." Mein Verstand, so wie er war, raste. „Was braucht sie, um zu wachsen?"

Der Detektiv zuckte mit den Schultern. „Licht. Wasser. Wie bei jeder anderen Pflanze auch. Unsere im Keller des Reviers haben Fenster über jeder Zelle."

„Was geht dir durch den Kopf, Sunshine?" Eddie verschränkte die Arme und neigte sein Kinn zu mir.

„Unten in der Falltür, direkt vor dem Portal, das zu Pauls Dimension führt, wimmelte es von Maden, aber es gab Licht. Eine Menge Licht."

Jacek schüttelte den Kopf und lachte, als er an den Schränken stand. „Sagst du, was ich nicht weiß, was du sagst?"

„Ja", sagte ich und lächelte. „Wir könnten da unten eine dieser Leichenblumen pflanzen. Tut mir leid, wir meine ich. Keiner von euch geht da runter. Aber im Portal des Sees ist Wasser, und darin ist auch Strom."

„Leichenblumen wachsen sehr schnell und sind ziemlich groß." Der Detektiv sah mich einen Moment lang abschätzend an, obwohl er eigentlich nur in sich selbst zu suchen brauchte, um zu sehen, was er zu sehen brauchte. Ich hatte das Gefühl, dass wir uns mehr ähnelten als unterschieden. „Sie könnten sogar in der Lage sein, dieses Seeportal zu versiegeln."

Ich nickte und hatte das Gefühl, dass wir auf derselben Seite stehen könnten. Das war ein Fortschritt. Und wir vermieden es, über Mom zu sprechen.

Er schüttelte den Kopf und sah auf den Tisch hinunter. „Ich wünschte, ich hätte verhindern können, dass sich diese Falltür öffnet."

„Es ist nicht deine Schuld", sagte ich, und ich meinte es ernst.

Er runzelte die Stirn, während er abwesend mit dem Einband von Roseffs Buch zwischen uns spielte. „Die Falltür öffnete sich unter meiner Aufsicht. Das werde ich mir nie verzeihen."

„Es gab zu viele Variablen, die gegen dich arbeiteten. Paul natürlich, und mein Ex-Boss, der ihm geholfen hat." Ich zuckte mit den Schultern. „Und ich."

Sawyer legte seinen Arm um meine Schulter. „Sie mehr als du."

„Ich habe einen Flammenwerfer und eine Schaufel zum Friedhof gebracht, um die Falltür zu öffnen." Ich stach mir in die Brust. „Das war die Nacht, in der ich zum Arschloch wurde."

Jacek schnaubte und verschluckte sich an seinem Getränk. „Warne mich das nächste Mal, okay?"

Ich habe gezwinkert. „Tut mir leid."

„Du wusstest es nicht besser", sagte der Detektiv, der mich nicht aus den Augen ließ.

Vielleicht nicht. Aber hat er das? Immerhin hatte er meine Mutter geschwängert und sie dann allein gelassen, um mich allein aufzuziehen. Ich zog eine Grimasse am Tisch, als sich eine schmerzhafte Wendung in meinem Herzen abzeichnete. Ich wollte wissen, warum, aber gleichzeitig wollte ich es wirklich nicht.

Sawyer drückte meine Schulter, während er den Detektiv ansah. „Warum war es deine Familie, die so lange mit der Bewachung der Falltür beauftragt war?"

„Die Appelts waren schon immer anders", begann er und schob abwesend Roseffs Buch näher an sich heran. „Die Menschen vergessen die Vampire, sobald sie den Blick von ihnen abwenden, aber die Appelts haben sie und alle anderen übernatürlichen Wesen, die sich verstecken wollen, immer klar und deutlich gesehen. Das ist eine nützliche Fähigkeit, wenn man eine Falltür bewachen muss, die von niemandem geöffnet werden sollte, weshalb der Senat meine Familie angeheuert hat."

Eddie schaute mich an, aber als ich nur mit den Schultern zuckte, ging er auf und ab und sah tief in Gedanken versunken aus. Ich habe meine ersten Vampire mit neun Jahren gesehen, als ich den Auftrag hatte, sie zu töten. Davor hatte ich noch nie welche gesehen.

Der Detektiv schlug das Buch auf und blätterte durch die Seiten, ohne sie wirklich anzuschauen. „Zuerst hieß es, meine Familie dachte, wir seien einfach anders gepolt, aber die Theorie besagt, dass wir ein wenig Fee in uns haben."

„Warte ..." begann ich, aber ich hatte keine Ahnung, worauf ich mit diesem Gedankengang hinauswollte. Fae?

„Sunshine", sagte Eddie, der immer noch auf und ab ging, und seine Stimme klang wie eine neckische Anschuldigung. „Deshalb riechst du so gut."

„Weil ich eine Fee bin?" Eine Fee-Vampirjägerin... Ich war viele Dinge auf einmal, und nicht nur eine Jägerin, wie ich es so lange gewesen war. Zugegeben, ich wusste sehr wenig über Feen, da ich mich immer auf Vampire und dunkle Unbekannte konzentriert hatte. Es würde also ein bisschen dauern, bis sich das in mein Bewusstsein drängte, genau wie mein Vampir-Dasein. „Als Nächstes wird mir jemand sagen, ich sei ein Pirat."

„Nun, du gehst öfters über meine Planke." Jacek schenkte mir ein schadenfrohes Grinsen.

Kommissar Appelt drehte sich langsam zu ihm um, und das Grinsen verschwand aus Jaceks Gesicht, als er sich umdrehte, um die Schränke genau zu untersuchen.

Ich presste meine Lippen aufeinander. Eddie schüttelte den Kopf. Sawyer lehnte sich in seinem Stuhl zurück und bedeckte seine Augen mit seiner Hand.

Der Detektiv drehte sich langsam wieder zu mir um. „Ja, weil du eine Fee bist. Wir haben Licht in uns" - er hielt meinen Blick einen langen Moment lang fest - „Und das ist stark genug, um einen dunklen Unbekannten zu besiegen."

„Eine Fee-Schrägstrich-Vampir-Schrägstrich-Jägerin." Eddie schob seine Brille hoch und lächelte, als hätte er gerade eine Schlussfolgerung gezogen. „Paul hat keine Chance."

Ich lächelte zurück, aber ich war mir da nicht mehr so sicher, nachdem Paul mir meinen Arsch gereicht und den Rest von mir wie eine blutige Sauce Hollandaise darüber gegossen hatte. Verdammt, das war ein schrecklicher Anblick, sogar für mich, aber es war passiert.

Ich wollte Detective Appelt nicht fragen, aber es war einfach zu wichtig. „Wusste meine Mutter davon?"

Er zuckte zusammen, den Blick auf das Buch gerichtet, in dem er blätterte. „Ich glaube, sie hat etwas geahnt, als du geboren wurdest. Da war Licht ... überall."

Er hatte es ihr also nicht gesagt, weil er wirklich ein Feigling war. Überraschung, Überraschung. Ein Funken Wut schoss durch meine Hände, und ich faltete sie in mich zusammen und fühlte mich plötzlich sehr verletzlich.

„Du warst bei meiner Geburt dabei?" murrte ich.

Er sah mich an, als könne er nicht glauben, dass ich das gerade gefragt hatte, und sein Mund stand offen, als hätte ich ihm gerade eine Ohrfeige verpasst. „Natürlich war ich das."

Ich konnte das nicht tun. Ich konnte nicht mit ihm über Mom sprechen, was mich wohl auch zu einem Feigling machte. Wie der Vater, so die Tochter. Gib mir einen dunklen Unbekannten zum Bekämpfen, aber das? Einfach... nein.

Sawyer musterte mich, wahrscheinlich las er alles aus meinem Schweigen heraus, und wandte sich dann wieder an den Detektiv. „Erzähle uns mehr über diese Leichenblume. Glaubst du, sie könnte am Boden der Falltür wachsen und die Energie von Pauls Seeportal aufnehmen?"

Der Detektiv nickte. „Wenn es genug Licht gibt, dann ja. Das und der See sollten genügen. Aber die Leichenblume blüht nur bei Vollmond, wegen der besonderen Anziehungskraft auf die Erde."

Eddie zückte sein Handy, vermutlich, um den Mondkalender zu finden. Nach ein paar Wischbewegungen klappte er seine Brille auf den Kopf und starrte auf den Bildschirm, ungehindert von dieser lästigen Erfindung, die ihm helfen sollte, besser zu sehen.

„Warte nur", sagte Jacek und schaute über seine Schulter in die Küche. „Warte nur..."

Eine lange Minute lang herrschte erwartungsvolle Stille.

Jacek stieß einen Seufzer aus und verdrehte die Augen. „Willst du mich jetzt verarschen, Eddie? Ihr solltet mal seinen Kalender sehen, Leute. Er ist so vollgepackt mit dem Tag der Buchauslieferung und dem Tag der Buchveröffentlichung, dass er ihn nicht einmal lesen kann."

„Halt dein Maul. Ich kann es sehr gut lesen. Da." Eddie zeigte auf sein Handy, und sein schönes Gesicht erblasste.

Das ständige Lächeln auf Jaceks Gesicht verschwand, als er ebenfalls hinsah. „Oh."

„Wann ist Vollmond?", verlangte Sawyer.

Eddie sah mich direkt an, seine Lippen zu einem Stirnrunzeln verzogen. „Der nächste Vollmond ist am einunddreißigsten Oktober."

Mein Geburtstag. Mein einundzwanzigster Geburtstag, das Alter, das ich eigentlich nicht erreichen sollte. Das Alter, das keine Jägerin je erreicht hatte, außer einer - Roseff. Der geisteskranke, hirnverbrannte Roseff, der noch lebte, weil er sich in einem unterirdischen Kerker versteckt hatte, wo er Jacek zweihundertfünfzig Jahre lang gefoltert hatte. Nicht meine Vorstellung von einer Party. Ganz und gar nicht.

Sawyer lehnte sich zurück und wischte sich mit den Händen über das Gesicht. „Das ist lächerlich knapp."

„Ich meine … vielleicht nicht. Mein offizieller Geburtszeitpunkt ist 11:59 Uhr nachts. Der Mond wird natürlich vorher aus sein, also werde ich mich auf den Weg machen, um Paul in seiner Dimension zu töten, dann die Blume pflanzen und hoffen, dass sie über das Portal wächst, während sie die Energie aus ihm und mir heraussaugt und den toten Paul effektiv darin einschließt." Ich sah jeden von ihnen an. „Klingt doch super easy"

Der Detektiv schüttelte den Kopf. „Nein, das ist nicht so einfach."

Sawyer legte seine Hand auf meinen Oberschenkel. „Wir planen deinen Kampf mit Paul auf Basis einer Blume, die vielleicht nicht einmal das tut, was du willst." Seine Schultern hingen herunter, als er mich ansah, Herzschmerz und Sorge standen ihm ins Gesicht geschrieben. „Und du schaffst es vielleicht nicht einmal bis zu deinem Geburtstag."

Er hatte natürlich recht. Meine Gedanken rutschten ab, wie Füße auf einer Schotterpiste, und der imaginäre Streit mit Paul gestern Abend war ein Paradebeispiel dafür gewesen.

„Es sei denn …" begann Eddie, und hinter seiner Brille blitzte Besorgnis auf. „Wir haben eine dieser Blumen, die deine Jägerinnenkraft ausschaltet. Heute. Jetzt sofort."

Ich stöhnte auf und schüttelte den Kopf zur Decke hinauf. „Ich weiß nicht, ob das funktionieren wird. Die Macht der Jägerin macht mich in vielerlei Hinsicht wie Paul, da die Macht technisch gesehen seine ist. Dadurch sind wir uns ähnlich, und ich kann ihn besser verstehen, weißt du? Und… die Kraft selbst verwandelt mich buchstäblich in ein Monster, das ein Monster besiegen kann, was vielleicht gar nicht so schlecht ist, wenn ich Paul endlich töten kann."

Jacek schenkte mir ein trauriges Lächeln. „Du bist kein Ungeheuer, Jägerin. Nicht einmal annähernd."

Ich lächelte zurück, und jeder einzelne Teil von mir wurde warm, obwohl ich tot war.

„Du hast Recht", sagte Eddie und begann wieder zu laufen. „Dir zu früh die Macht zu nehmen, könnte das Schlimmste sein, was du tun kannst."

Sawyer nickte. „Wir müssen das strategisch angehen, und zwar schnell."

Jacek schritt auf mich zu und streichelte dann mein Gesicht mit dem Rücken seiner Fingerknöchel. „Ich kann deine Fähigkeiten und deine Schnelligkeit testen, um zu sehen, wie genau die Verwandlung in einen Vampir dich verändert hat."

„Tue das, sobald du kannst", befahl Sawyer.

„Bist du sicher, dass du mithalten kannst?", fragte ich.

Jacek grinste. „Ich würde mich freuen."

Ich auch. Die meisten unserer Sparringssitzungen waren im Grunde nur ein Vorspiel, aber ich war gespannt darauf, zu sehen, was ich als Vampir/Töter/Fee/Pirat tun konnte.

Eddies lange, flinke Finger flogen über sein Telefon. „Ich werde mehr über diese Leichenblume recherchieren, um zu sehen, ob es sich lohnt, auf den Vollmond zu warten, und um zu sehen, ob sie unter der Erde wachsen wird. Kannst du mir mehr darüber sagen, wie es dort unten aussieht, die Temperatur, alles?"

„Ja." Meine Haut kribbelte bei dem Gedanken, wieder durch die Falltür zu gehen, selbst wenn es nur in meiner Erinnerung war. Und wenn ich wirklich zurückgehen musste ... nun, dann würde ich wohl eine Windel für Erwachsene tragen müssen. Ich erzählte ihnen alles über den langen, dunklen Tunnel, der zur Seilbrücke über die Maden etwa vierzig Meter unter uns führte, über die herabfallenden Felsen und über das gläserne Portal des Sees auf der anderen Seite.

Eddie runzelte die Stirn. „Die herabfallenden Steine sind ein Problem. Pflanzen aller Art mögen es nicht, wenn etwas auf sie fällt, wenn sie wachsen wollen."

„Ja, und die Maden waren noch am Leben. Fressen die nicht Pflanzen?" Plötzlich kam mir ein Gedanke. „Oh!"

Vier Köpfe drehten sich zu mir um und sagten: „Was?"

Ich stand vom Tisch auf und suchte nach meinem Handy. „Ich habe da unten ein Foto gemacht."

„Wie ein Selfie?", fragte Eddie.

„Nein, das mache ich das nächste Mal", rief ich und entdeckte mein Handy auf dem Couchtisch im Wohnzimmer. Dann ging ich zurück in die Küche und reichte dem Detektiv das Telefon, da seine ausgestreckte Hand am nächsten war. „Das wurde vor dem langen Tunnel in die Wand geritzt."

Alle versammelten sich, um zu schauen. Ich brauchte es nicht noch einmal zu sehen. Niemand sprach, als ich mich zu meinem Stuhl zurückzog.

„Siehst du es?", fragte ich. „Es sind nur zwei Bilder auf meinem Handy."

„Ich sehe es." Eddies Blick wanderte zu mir hinauf, mit einem Blick, der einen Sturm des Entsetzens in meinem Bauch auslöste.

„Was? Was steht denn da? Für mich sah es aus wie Kratzer", sagte ich und drückte die Lehne meines Stuhls zusammen. „Ist das wieder altes Sumerisch?"

Jacek wich von meinem Handy zurück, als wären ihm Tentakel gewachsen. „Jägerin ... hast du das geschrieben?"

Mir fiel die Kinnlade herunter. „Was?"

„Die Schräge der Buchstaben, Belle. Wie du Kreise benutzt, um deine I-Punkte zu setzen." Sawyers Gesicht wurde ernst vor Sorge. „Wir kennen deine Handschrift."

Ich schüttelte nur den Kopf, und meine Stimme versagte vor Unglauben. Natürlich hatte ich es nicht geschrieben. Ich konnte es nicht einmal lesen.

„Dieser Satz steht auch hier drin", sagte Kommissar Appelt und drehte das aufgeschlagene Buch von Roseff auf dem Tisch um. „Schöner Abend -"

„Nein!", rief Jacek.

„Sage es nicht!", warnte Sawyer.

Aber ich hatte die Worte schon auf der Seite gesehen. *Ein schöner Abend für einen Spaziergang, nicht wahr?*

Statische Störungen bohrten sich durch meinen Schädel, wieder einmal zu stark, um sie abzuschalten. Die Küche schmolz in sich zusammen, alles verformte sich und sackte ab. Der nagelneue Tisch verwandelte sich in geschwärzten Ahornsirup, und auf der anderen Seite davon saß Paul.

Ich bäumte mich schockiert auf und schleuderte mich gegen die Küchenschränke, während das Rauschen lauter wurde. Wie ist er hier reingekommen, ohne dass ich es wusste? Ohne dass es einer von uns sah? Ich fischte nach dem Götterknochen in meiner Jackentasche, aber etwas stieß mir in die Seite, bevor ich ihn wegwerfen konnte. Etwas Massives mit roten Augen, die über sein Gesicht glitten. Mein Sawyer. Paul muss direkt in ihn hineingelaufen sein, als er dieses Haus betreten hatte.

Ich musste ihn aufhalten. Ich musste ihn rausholen. Mit allen nötigen Mitteln.

Ein Pfahl. Ich habe meinen aus meinem Haar gezupft. Ein Pflock durch das Herz. Mein Herz. Dann würde alles vorbei sein. Kein Paul mehr. Und dieses Mal gab es keine Weste, die einen Pflock hätte aufhalten können.

Wie bitte? Nein! Ich hob den Pflock, aber Jacek blitzte vor mir auf, sein Gesicht blubberte und glitt seinen Hals hinunter. Er entwaffnete mich mit einer der Methoden, die er mir beigebracht hatte, und dann schlang Sawyer seine Arme von hinten um mich, fest genug, um meine Knochen zusammenzupressen.

Ich trat, schlug um mich, kämpfte, um mich zu befreien, und ein Schrei riss mir die Kehle auf.

Paul erhob sich von seinem Sitz, sein Gesicht war das einzige, das ganz war, das einzige, das lächelte, während Sawyer mich zu ihm zog.

Kapitel Fünf

Ein Stich in meinem Arm, und dann war da nichts als Schweben. Und Träume. Und das Geräusch des Pinkelns...

Ich tastete sofort meinen Schritt ab, um zu sehen, ob ich mich nass gemacht hatte. Nö. Aber das Geräusch hörte nicht auf. War ich in einer Toilette aufgewacht? Das hatte ich einmal gemacht, als ich vierzehn war. Meine Mutter hatte eine Flasche Wein geschenkt bekommen, die sie anscheinend vergessen hatte, und so tat ich ihr den Gefallen und trank die ganze Flasche eines Abends nach der Patrouille aus. Am nächsten Morgen fand mich meine Mutter schlafend mit dem Kopf in der Toilette. Seitdem hasse ich alles, was mit Weintrauben zu tun hat. Ich hätte den Wein für sie aufheben sollen. Ich hätte eine Menge Dinge tun sollen.

Jetzt riss ich die Augen auf. Sie fühlten sich kratzig und rau an, als hätte ich viel zu lange an der Oberfläche geschwommen. Des Bewusstseins, nahm ich an.

Ich lag zwischen weichen Laken, die mir bis zum Hals hochgezogen waren, aber ich war nicht im Gästezimmer. Ich war im Holzschuppen, eingesperrt zwischen vier Wänden, aus denen Weihwasser floss. Eingesperrt in dem Gefängnis, das ich miterschaffen hatte. Ein Kribbeln der Angst lief mir den Rücken hinunter. Furcht vor mir selbst. *Um* mich selbst. Ich bezweifelte wirklich, dass dies ein gutes Zeichen war.

Die Wand, die die beiden Zellen trennte, war eingerissen worden, um eine große Zelle zu schaffen, aber es handelte sich eindeutig um denselben Holzschuppen. Durch meine Glastür erkannte ich die Holztür, die nach draußen führte, mit den verknoteten Querbalken darin. Und zwischen dieser Tür und mir erkannte ich die drei Vampire und einen Hund, die auf dem harten Boden schliefen.

Mein Herz krampfte sich schmerzhaft zusammen, fast so stark, dass es wieder zu schlagen begann. Sie hatten ihren Komfort geopfert, um in meiner Nähe zu sein, weil ich sie wahrscheinlich zu Tode erschreckt hatte. Verflucht sei ich und mein geistiger Zustand. Ich erinnerte mich an alles, aber wenn ich in den Holzschuppen gesteckt worden war, dann stimmte nichts von dem, woran ich mich erinnerte. Würde ich überhaupt wissen, wann ich gegen den echten Paul kämpfte?

Sawyer blinzelte mit den Augen und sah, dass ich wie ein Kriecher starrte. Wie ein abgehalfterter Kriecher. Er stand mit einem zögernden Lächeln da, und ich hasste es, dass ich es ihm geschenkt hatte. Ich wollte es ihm aus dem Gesicht küssen, also stand ich auch, nur eine wässrige Glasscheibe trennte uns. Die dunkle Sonnen- und Mondtinte auf seiner nackten Brust hob sich deutlich von seiner goldenen Haut ab, als er unter dem schummrigen Oberlicht näher kam. Als er die durchsichtige Tür öffnete und eintrat, vorsichtig mit dem Weihwasser, stürzte ich mich auf ihn und suchte jetzt mehr denn je seinen Trost. Er drückte mich an sich, und meine Füße verließen den Boden durch die Kraft seiner Umarmung.

„Es tut mir leid", schluchzte ich an seiner Schulter. Es stellte sich heraus, dass ich weinen konnte, sogar als Vampir.

„Es ist okay."

„Ich weiß nicht einmal, was passiert ist. Ich habe diese... diese Worte an die Wand am Fuß der Falltür geschrieben. Warum zum Teufel sollte ich das tun?"

„Ich weiß es nicht. Es ist nicht deine Schuld." Er ließ seine Finger durch meine lockeren Locken gleiten, seine Berührung war wie ein beruhigender Balsam.

„Was ist mit Detective Appelt? Geht es ihm gut?", fragte ich. „Ich glaube, ich dachte, er wäre Paul?"

Er nickte und seufzte. „Er war erschüttert. Es hat ihn innerlich zerrissen, dich so zu sehen. Das hat es uns alle. Wir mussten dich an einen Ort bringen, an dem du weder dir selbst noch jemand anderem etwas antun konntest."

„Ich weiß."

„Jägerin." Eine raue Stimme kam von hinten, und Sawyer setzte mich ab, damit ich zu meinen anderen Vampiren gehen konnte.

Jacek, der nur mit seiner schwarzen Sporthose bekleidet war, hob mich zuerst hoch und drückte mir einen langen Kuss auf die Schläfe, und dann umarmte mich Eddie mit der ganzen Kraft. Als ich mich von den beiden löste, deren Schultern von meinen Tränen benetzt waren, fühlte sich meine Brust an, als würde sie platzen vor lauter Liebe, die sie mir bedeuteten, weil sie meinen ganzen Scheiß ertragen hatten. Sie sind nie zurückgewichen, obwohl die meisten Typen, die ich früher kannte, innerhalb von Sekunden, nachdem ich den Mund aufgemacht hatte, gesagt hätten, dass sie mich zur Hölle schicken sollen.

Ich kniete mich hin, um auch Cleo zu umarmen, die mir die Tränen aus dem Gesicht leckte, und dann stand ich auf. „Ich denke, wir sind uns alle einig, dass ich nun wirklich anfange, den Verstand zu verlieren."

Eddie lachte, aber es klang gequält. „Du kannst gut mit Worten umgehen, Sunshine."

Ich habe gezwinkert. „Das liegt daran, dass ich ein großer Fan von Büchern und Bibliotheken bin."

„Sei still, mein Herz", sagte er und lächelte.

Jacek schüttelte den Kopf und blickte auf den Boden des Holzschuppens. „Erst lächelt er und jetzt macht er auch noch Witze. Jägerin, was hast du mit diesem Mann gemacht?"

„Sie liebt mich", sagte Eddie einfach.

Als ich ihn die absolute Wahrheit sagen hörte, schnürte sich meine Kehle vor Rührung zu, und ich war so froh, dass er es wusste. „Darauf kannst du deinen süßen Arsch verwetten, dass ich es weiß. Ihr alle drei. Ich würde nicht hier mitten in einem heiligen Holzschuppen stehen, wenn ich es nicht täte. Und weil ich euch liebe, bin ich sicher, dass ihr mich über jedes Detail aufklären werdet, das ich verpasst habe."

„Es ist der achte Oktober, du warst also nur ein paar Tagen weg", sagte Sawyer. „Ich habe dich in der Küche ziemlich vollgepumpt, und das tut mir leid."

Ich streckte die Hand aus und berührte seinen Arm. „Das muss es nicht. Ich bin diejenige, der es leid tut."

„Wir haben die Samen der Leichenblume", sagte Eddie und strich sich sein blondes Haar zurück. „Es sieht so aus, als ob die Bedingungen, die du am Boden der Falltür beschrieben hast, ideal für eine Leichenblume wären. Mit der Kraft des Vollmonds blühen sie groß und fast sofort."

Jacek nickte. „Wir müssen nur wissen, ob es besser ist, zu warten, bis du Paul getötet hast, um deine Jägerinnenkraft auszuschalten, oder dich zu den Leichenblumen im Keller der Polizeiwache zu bringen und es jetzt zu tun. Ich würde gerne deine Schnelligkeit und Stärke testen, indem du versuchst, mir in den Hintern zu treten."

Ich zog eine Augenbraue hoch und war jederzeit bereit, mich mit ihm anzulegen. „Wann?"

„Nun, wenn du glaubst, dass du es mit mir aufnehmen kannst."

„Ich bringe meine Boxhandschuhe mit."

„Oh, klingt heiß." Er spottete, und sein breites Grinsen entflammte meine Seele. „Ich bringe das ...alles."

Sawyer sah ihn stirnrunzelnd an. „Stellt sicher, dass ihr zwischen all Euren sexuellen Euphemismen auch wirklich etwas trainiert. Wir müssen sofort wissen, wie wir am besten mit Belle verfahren."

„Schon dabei, Chef." Jacek sah mich an und hielt mir seine Hand hin.

„Mit *mir*, meinst du." Ich nahm seine Hand und ließ mich von ihm aus der Zelle und aus dem Holzschuppen führen.

Draußen fühlte sich die Luft kalt und ölig auf meiner Haut an, die Nacht und alles andere so schwarz, wie ich es noch nie gesehen hatte. Es sah aus wie ein Albtraum, sogar im Hinterhof meiner Oase, aber ich lächelte trotzdem weiter. Mit Jaceks Hand in der meinen wirkten die Schrecken nicht mehr so beängstigend. Sie schienen weiter weg zu sein, ein Berg, den man Schritt für Schritt erklimmen muss. Und das war ich auch, mit zerquetschtem Kartoffelhirn und allem. Wenn ich es nur mit etwas Soße oder so zusammenkleben könnte, würde es mir gut gehen. Es wäre wie Thanksgiving in meinem Kopf.

Im Haus kramte ich meine Boxhandschuhe aus dem Seesack neben der Tür, während Jacek die Wohnzimmermöbel aus dem Weg räumte und die blauen Matten ausrollte.

„Jacek?"

„Ja?"

„Keine Pfähle heute, okay? Ich werde nicht einmal einen im Haar tragen, weil ich dich nicht pfählen will, wie ich es mit Eddie getan habe oder wie ich es fast mit Detective Appelt getan hätte."

„Keine Pfähle", stimmte er zu. „Wir können jede andere Ausrüstung nehmen, die du willst."

Ich nickte. „Und wenn du meinst, dass ich meine Jägerinnenkraft bis zum einunddreißigsten behalten muss, dann... würde ich gerne von nun an im Holzschuppen schlafen."

Er unterbrach seine Tätigkeit und starrte mich an. „Natürlich würden wir dich niemals zwingen, aber wir werden Paul auch nicht helfen, dich zu schlagen. Wenn du dich dort sicherer fühlst..."

„Ihr drei seid sicherer, wenn ich da draußen bin. Und wenn ich beim Training etwas Dummes mache, versprich mir, dass du mich wieder rausschickst. Jetzt fühle ich mich gut, aber ... wie ihr gesehen habt, kann sich das schnell ändern."

„Ich verspreche es", sagte er leise. Er ging auf mich zu und strich mit den Fingerspitzen über meinen Kiefer, blieb an einer Haarsträhne hängen und steckte sie mir hinters Ohr. „Es ist nur vorübergehend, Jägerin. Deine Vampirkräfte sind vielleicht alles, was du brauchst, um Paul zu besiegen, und dann können wir heute Abend deine Jägerinnenkraft einsetzen."

Ich bezweifelte es wirklich. Nicht, wenn die Macht der Jägerin selbst Paul gehörte. Ich würde sie brauchen, um ihn zu besiegen. Dessen war ich mir sicher, aber ich war mir nicht sicher, ob ich es bis zum einunddreißigsten Vollmond schaffen würde, vor allem, wenn ich klaffende Löcher in meinem Gedächtnis hatte und halluzinierte.

Ich schmolz in Jaceks Armen dahin, schloss die Augen und zog die Falten hoch. „Küss mich, bevor ich dir in den Hintern trete."

Kichernd tat er es, seine Zunge und seine Lippen waren die perfekte Ablenkung. Seine Küsse waren tief und rau und wurden von Sekunde zu Sekunde drängender. Ich stöhnte in seinen Mund, während ich mit meinen Fingern durch sein kurzes dunkles Haar fuhr, und er antwortete mit einem tiefen Knurren, das direkt in meine Muschi drang.

Scheiß drauf, mich zu testen. Ich wollte direkt zu den guten Sachen übergehen. Und das hätte ich auch getan, wären da nicht seine lästigen Reflexe gewesen. Seine Finger, die meinen Arm hinunterwanderten, schlossen sich um mein Handgelenk, und dann winkelte er seinen Arm vor meinem Körper an und stieß zu. Das brachte mich aus dem Gleichgewicht, und noch mehr, als er seine Beine direkt hinter meine strauchelnden Beine trat. Ich ging zu Boden und schlug hart auf die Matte auf.

„Betrüger", sagte ich und lächelte zu ihm hoch.

„Gib es mir sofort zurück, so hart wie du kannst. Ich fordere dich heraus." Er leckte sich über die Lippen, und in seinen bernsteinfarbenen Augen funkelte ein freches Glitzern. „Wenn du mich niederschlägst und dafür sorgst, dass ich unten bleibe, hast du gewonnen."

„Aber du bist doch so hübsch." Ich ging vor ihm in die Hocke und glitt dann langsam an seinem Körper hinauf, wobei meine Hände den harten Schwanz erkundeten, der auf dem

Weg dorthin gegen seine Sporthose drückte, und dann mit meinen Lippen seine perfekt geformten Bauchmuskeln hinauf.

Er sah zu, wie ich ihn wie einen Pfahl erklomm, seine Augen flammten vor Hunger. „Ich kann mir jemand Hübscheren vorstellen."

„Wenn du meinst, aber ich bin mir nicht sicher, wie Sawyer darauf reagieren wird, wenn man ihn hübsch nennt." Ich schlang mein rechtes Bein um seinen Rücken und stieß mit der Kraft meiner Hüfte in seine Seite, um ihn zu stürzen.

Oh, aber nicht, um ihn in den Fernseher zu schleudern. Verdammt noch mal! Glas und Plastik flogen durch den Raum.

„Jacek!", rief ich und begann auf ihn zuzulaufen.

Noch immer in den Überresten des Fernsehers liegend, schoss er ein Bein aus, bevor ich ihn erreichen konnte. Ich sprang auf, um ihm auszuweichen, und landete auf den Zehenspitzen auf dem Couchtisch, wo er sofort nach meinen Knöcheln griff. Dem wich ich mit einem kleinen Sprung aus, der mich an eine zierliche Ballerina erinnerte, was ich ganz sicher *nicht war*.

Zeit, schmutzig zu spielen.

Er sprang auf, aber ich flitzte schon durch das Wohnzimmer zu einem von Cleos Gummibällen. Ich warf ihn in Richtung Jacek, aber weit genug weg, damit er ihn nicht fangen konnte. Und wieder sprengte er ein Loch in die Wand.

Jacek warf seinen Kopf in Richtung des zerklüfteten Lochs. „Spielen wir jetzt Fangen?" Als er zu mir zurückblickte, stand ich direkt vor ihm, die Boxhandschuhe bereits in den Fäusten.

Ich habe ihm einen Schlag in die Bauchmuskeln verpasst, wobei ich wirklich meine ganze Kraft eingesetzt habe, aber es fühlte sich für ihn wahrscheinlich wie ein Kitzeln an.

Sein Mund formte ein überraschtes O und verzog sich dann zu einer Grimasse. „Au."

Ich taumelte zurück, weil ich das überhaupt nicht erwartet hatte. Oh Scheiße. Ich ließ meinen Blick auf die Stelle fallen, wo ich ihn geschlagen hatte, und ein leuchtend roter Fleck hatte sich auf seiner nackten Haut gebildet. „Oh Gott, Jacek, es tut mir so leid. Ich hätte nicht gedacht, dass ich dich so hart getroffen habe. Habe ich deine Organe in deine Wirbelsäule gestoßen?"

Er nickte. „Sie sind geplatzt", krächzte er.

„Shitshitshit. Was kann ich tun?

Er lehnte seine Stirn an meine, als wäre ich das Einzige, was ihn aufrecht hielt. „Ducken."

„Ducken?"

„Ducken." Er schlug die Arme zur Seite, als wolle er mich packen, seine eigenen Hände steckten in Boxhandschuhen, die er aus dem Nichts gezogen haben musste.

Ich duckte mich. „Kumpel!"

Er brach in Gelächter aus und drehte eine Siegesrunde im Stil von Rocky durch das zerstörte Wohnzimmer. Das Geräusch machte mich süchtig, und es war genau das, was ich hören musste, aber ich war mir ziemlich sicher, dass ich ihn wirklich verletzt hatte. Ich ließ die Boxhandschuhe fallen und ersetzte sie durch ein Sofakissen. Es war schwerer als es aussah, aber ich warf es einfach quer durch den Raum, als Jacek mir den Rücken zuwandte. Er schrie vor Überraschung auf, als es ihn völlig platt machte. Es hat ihn komplett gegen die Wand geschleudert und ihn dann platt gemacht.

„Fffffuck." Ich starrte ihn mit offenem Mund an und nahm Anlauf, bis ich auf ihm ritt.

Er lag fassungslos da und starrte an die Decke. „Besiegt von einem Kissen. Wir sollten es niemandem sagen."

„Geht es dir gut? Ich weiß nicht, wie stark ich bin. Wir sind fertig. Ich habe dich fertig gemacht, und jetzt sind wir fertig. Das war's, klar?"

„Rate mal, wie viele meiner Schüler mich zu Fall gebracht haben, seit ich unterrichte", fragte er.

„Wie viele?"

Seine Hand glitt an der Innenseite meiner Yogahose hinunter und dann noch tiefer, bis seine Fingerspitzen meine bereits glitschigen Falten berührten. Mit seinen feurigen Augen auf mich gerichtet, rollte er einen einzelnen Finger in mich hinein. „Nur eine."

Ich drückte mich gegen seine Handfläche, wollte mehr von ihm spüren, alles von ihm, während sein steifer Schwanz an meinem Innenschenkel rieb. „Ich habe dir wehgetan."

„Weil du die Vampirjägerin bist." Er stöhnte, als er seine Hüften gegen meine presste. „Du tust mir so weh, wie ich es mag, verletzt zu werden."

Ich fuhr mit meinen Handflächen über seine Brust, während ich seinen Finger wie einen Schwanz fickte. „Wie mit Boxhandschuhen und Couchkissen?"

„Und ein ständiges, schmerzhaftes Bedürfnis, in dir zu sein." Er hob sich und bedeckte meinen Mund mit seinem. Seine Zunge und seine Lippen verwüsteten meinen und steigerten mein Verlangen zu einem pochenden Schmerz. Er zog seinen Finger heraus, um unsere beiden Hosen herunterzuziehen, wobei unsere Hüften die ganze Zeit über aufeinander ritten.

Ich liebte es, wie wir es nicht abwarten konnten, wie wir uns mit unseren Kleidern fickten, bis wir uns erinnerten, dass wir sie lieber ausziehen. Eine weitere Erinnerung daran, sie gar nicht erst anzuziehen.

Er packte meinen Hintern und ließ mich an seinem Schaft hinuntergleiten, obwohl meine Unterwäsche nur bis zur Hälfte meiner Hüften heruntergeschoben war. Der Stoff bündelte sich, als ich auf und ab stieß und rieb ganz schön an meiner geschwollenen Klitoris. Ein Beinloch hatte sich um Jaceks Schwanz gewickelt, so dass es ihn jedes Mal streichelte, wenn ich in ihn pumpte. Oder er in mich. Wir krümmten uns zusammen. Dann kamen wir zusammen.

Ich biss in seine Schulter, mein Orgasmus pulsierte immer noch in mir, aber ich verlangsamte mein Tempo nicht. Er tat es auch nicht. Sobald er seinen Biss an meinem Hals sauber geleckt hatte, rollte er mich auf den Rücken und fickte mich, bis ich wieder kam. Seine Augen leuchteten rot auf, und er stöhnte laut in meinen Kuss hinein. Er versenkte seine Reißzähne in der anderen Seite meines Halses, während ich von seinem trank, und wir ritten beide durch die Nachbeben unserer Erlösung, bis wir grinsend dalagen, immer noch vereint.

Wenig später kamen Sawyer und Eddie zur Haustür herein, die inzwischen repariert war, und fanden Jacek immer noch auf mir ausgestreckt.

Eddie schaute sich in dem verwüsteten Wohnzimmer um. „Ich finde es toll, was du aus dem Haus gemacht hast."

Sawyer verschränkte seine massiven Arme vor der Brust, runzelte die Stirn und begutachtete den Schaden.

Cleo trabte von draußen herein und hatte fast den gleichen missbilligenden Ausdruck auf ihrem pelzigen Gesicht.

Nachdem Jacek von mir heruntergerollt war, stand ich auf. „Ich nenne es 'Fee-Vampirjägerin-Piratin, die ihre eigene Stärke nicht kennt' schick. Ich bezweifle, dass es sich durchsetzen wird. Ich verspreche aber, dass ich es aufräumen werde."

„So lautet also das Urteil?", fragte Sawyer. „Ich nehme an, du hast gewonnen, Belle, sowohl als Vampir als auch als Jägerin?"

„Das hat sie." Jacek, der immer noch am Boden lag, hielt sich die Stelle, an der ich ihn geschlagen hatte, an den Bauch, aber als er meinen Blick bemerkte, zeigte er mir zwei Daumen nach oben.

„Es tut mir leid", sagte ich und hasste mich.

Er schüttelte den Kopf. „Es darf dir nie leid tun. Das brauchst du, um Paul zu schlagen."

Trotzdem. Jacek war mein Lieblings-Jacek, und er hatte in seiner Vergangenheit schon genug Leid erfahren. „So wie es aussieht, behalte ich meine Jägerinnenkraft bis zum einunddreißigsten Oktober und gebe sie dann an eine Leichenblume weiter, die sich darum kümmern soll."

Sawyer nickte. „Wir werden die Details ausarbeiten. Wenigstens wissen wir jetzt schon, dass es funktioniert und dass es das Universum nicht ins Chaos stürzen wird, wenn es dir deine Kraft nimmt."

„Ich muss nur dafür sorgen, dass ich bis dahin nicht sterbe, damit nicht noch eine andere Jägerin mit dieser ganzen Scheiße zu kämpfen hat. Und ich muss dafür sorgen, dass mein Gehirn bis dahin durchhält." Ich stemmte die Hände in die Hüften und schüttelte den Kopf über den ganzen Schaden, sowohl innerlich als auch äußerlich. „Nach meiner Patrouille werde ich wohl einige Zeit im Holzschuppen verbringen. Wer kommt mit mir?"

Alle Hände hoben sich in die Luft, genau wie ich es erwartet hatte. Aber statt Erleichterung empfand ich nichts als Angst vor dem, was der Rest des Monats bringen würde.

Kapitel Sechs

Noch zwei Tage bis zu meinem Geburtstag. Wir hatten alles geplant, jedes Detail, bis hin zu den Speisen und Getränken, die ich mitbringen würde. Nein, ich sprach hier nicht von Geburtstagsfeiern, Leute. Ich würde Lebensmittel für meinen Kampf mit Paul mitbringen. Eine Tonne Limettensaft, um die Maden abzutöten - danke, Google! -, zusätzliches Wasser, um die Leichenblumensamen wachsen zu lassen, und etwa zwanzig Tüten mit den Samen selbst. Da ich für alle meine pflanzlichen Bedürfnisse gerüstet bin, sollte man meinen, dass ich mich bereit fühle, bereit für Action, bereit für eine Menge Göttermord.

Aber die Wahrheit war, dass ich mit den Fingernägeln an meiner Vernunft hing. Der statische Ton bohrte ein ständiges Loch in meinen Kopf, so laut, dass ich manchmal weder mich selbst noch meine Vampire sprechen hören konnte. Alles, was ich noch sagte, war „Hä?" und „Reich mir das Blut".

Mein Gedächtnis funktionierte einen Scheißdreck, und bei den wenigen Gelegenheiten, bei denen ich mir erlaubte, das Haus zu betreten, fand ich mich immer in einem Zimmer wieder, ohne zu wissen, warum ich dort war oder wie ich überhaupt dorthin gekommen war. Mom hatte oft Witze darüber gemacht, vor allem, weil sie ihren Anteil an Hirnfürzen gehabt hatte. Das hatten wir alle. *Warte, bis du so alt bist wie ich*, hatte Mom gesagt. Es stellte sich heraus, dass ich das nicht musste.

Laut dem Buch des Senats, das über Roseff geschrieben wurde, hatte er das Gleiche durchgemacht. Er hatte in den See geschaut, die Wahrheit über Paul erfahren und an seinem Geburtstag den Verstand verloren. Danach hatte er Jacek gefoltert, um herauszufinden, wie man eine Jägerin in einen Vampir verwandelt und so Paul überlebt. An den Tagen vor seinem Geburtstag hatte er große Gedächtnislücken und versuchte, sich selbst zu verletzen. Das Buch enthielt sogar einige Notizen, die er gemacht hatte.

Je länger die Jägerin am Leben bleibt, desto mehr Magie kann der dunkle Unbekannte aus dem Boden, aus seiner Dimension, schöpfen, denn es ist ein langsamer Prozess. Die Magie der Dimension ist fast so mächtig wie die Macht der Jägerin selbst.

Und: *Der Satz des dunklen Unbekannten - dieser Satz - ist, glaube ich, das, was ein Mitglied des Senats zu ihm gesagt hat, um ihn abzulenken, als die anderen ihm die Macht stahlen.*

Ich erinnerte mich an die Stelle auf dem See, als Pauls Dunkelheit sich ausbreitete und der Senat ihn umzingelte. Alles, was ich in Roseffs Buch las, kam mir bekannt vor, als hätte ich den dicken Wälzer bereits von vorne bis hinten gelesen. Vielleicht hatte ich das auch. Ich konnte mir über nichts mehr sicher sein.

Ich war eine Gefahr für mich und meine Vampire, aber ich konnte nicht *auf* Patrouille gehen. Wenn unser verrückter Plan klappte, wenn die Leichenblumen meine Kraft wieder aufnahmen und das Portal zum See versiegelten, brauchte ich vielleicht bald nicht mehr zu patrouillieren, aber ich wusste nicht, was ich davon halten sollte. Zu viele andere Variablen belasteten mich, als dass ich viel darüber nachdenken konnte, und ich würde es wahrscheinlich sowieso vergessen.

„In Ordnung, Schlüssel", sagte ich zu dem Metallstück, das ich in meiner Faust hielt.

Eddie hatte sie mir dort hingelegt, zusammen mit dem Wort SCHLÜSSEL, das auf meine Hand geschrieben stand. Jacek hatte mir die Kevlar-Weste umgeschnallt, bevor ich rausging, und Sawyer hatte mir... einen warmen Becher Blut mit Zimt versprochen, wenn ich zurückkomme? Die drei waren der Inbegriff von Geduld und Freundlichkeit gewesen, jetzt wo mein Gehirn in immer größeren Stücken auseinanderfiel.

Wie auch immer, *Schlüssel*. Seine Zähne bissen in meine Handfläche, eine Erinnerung an seine Anwesenheit und daran, was ich als Nächstes zu tun hatte. Ich blieb vor dem Friedhofstor stehen, Pauls Dunkelheit in seinem Inneren zappelte und pulsierte gegen die Eisengitter.

„Bist du bereit?", fragte ich und steckte den Schlüssel in das Schloss. Es war hilfreich, mit leblosen Gegenständen zu sprechen, um sicherzustellen, dass wir alle auf derselben Seite standen. Das war schon lange vorher der Fall gewesen.

Das Tor öffnete sich knarrend, und gleichzeitig schwangen alle Türen der Häuser auf der anderen Straßenseite langsam und leise auf. Ich starrte sie alle an, wie erstarrt, während ich mich bemühte, das Ganze in die richtige Schublade zu sortieren - real oder eingebildet. Die Scheinwerfer auf der Veranda beleuchteten die fröhlichen Kürbisse und die Halloween-Dekoration, während die Haustüren in der Dunkelheit gähnend offen standen. Die Familien drinnen hatten keine Ahnung von den Gefahren, die durch ihre Türen kommen könnten. Abgesehen von Vampiren, natürlich.

Echt oder nicht, ich musste mich vergewissern. Ich drehte mich um - und verlor den Rest meines Verstandes. Ich zuckte zusammen, als ich Eddie erblickte, der in der Mitte des leeren Grundstücks nebenan stand und seine orange-gelben Augen auf die andere Straßenseite richtete. Hinter ihm, am Rande des Gartens, stand Sawyer, der sich zusammengerollt hatte, als würde er beim kleinsten Geräusch aufspringen. Jacek kroch hinter Cleo vom Bordstein, die sich schnüffelnd ihren Weg über die Straße bahnte. Die Eingangstür ihres Hauses stand ebenfalls weit offen, obwohl ein warmes, angenehmes Licht aus dem Inneren drang.

Eddie winkte mich auf den Friedhof und sagte etwas, aber ich konnte ihn wegen des Rauschens nicht verstehen, obwohl er nur drei Meter entfernt war.

„Schließt die Tür", sagte ich und zeigte auf ihn, oder zumindest versuchte ich, das zu sagen. Nach einem kurzen Moment der Verwirrung schien er zu verstehen, was ich meinte.

Ich hatte mir das Öffnen der Türen also nicht eingebildet. Oder ich hatte sie und bildete sie mir immer noch ein. Eins von beidem.

Ich machte mich auf den Weg zum Friedhof und hatte vor, die Dinge auf der anderen Straßenseite durch die Gitterstäbe des Zauns im Auge zu behalten, während ich patrouillierte. Multitasking vom Feinsten.

Pauls Dunkelheit kochte über dem Boden und den einst weißen Wegen, die sich durch den Friedhof schlängelten. Sie leckte an meinen Knöcheln und schnappte wie ein Gummiband gegen meine nackte Haut, als ob sie seine Macht in mir schmeckte. Er saugte an meinen Stiefeln, so fest, dass jeder Schritt mir Energie raubte. Die Statuen hielten still und versuchten zum Glück nicht, mich zu packen, aber als ich an ihnen vorbeiging, hätte ich schwören können, dass ihre Augen mir folgten. Ich hoffte allerdings, dass es sich dabei um einen trickreichen Hirnfehler handelte.

Durch die Gitterstäbe des Zauns zu meiner Rechten waren die Haustüren der Häuser auf der anderen Straßenseite noch offen, aber meine Vampire hatten sich in Bewegung gesetzt und versucht, sie zu schließen. Nun, zumindest einige von ihnen. Die meisten öffneten sich nach innen, und da kein Teil eines Vampirs über die Tür eines Privathauses klettern konnte, konnten sie die Knöpfe nicht erreichen. Wir mussten uns schon etwas einfallen lassen, um das Problem zu lösen.

„Geh da nicht rein", flüsterte ich. „Du darfst da nicht reingehen."

Als ich mich der ebenfalls geöffneten Falltür am hinteren Ende des Friedhofs näherte, wurde das statische Geräusch in meinem Kopf immer lauter. Ein dickes, öliges, entsetzliches Gefühl strömte aus meinem Inneren.

„Geh da nicht rein", flüsterte ich wieder und schluckte schwer.

„Belle Harrison." Eine Stimme, doppelt so verlockend wie die Sünde, umhüllte mich, wie Balsam gegen diesen verdammt gruseligen Friedhof.

Ich drehte mich um und war überhaupt nicht überrascht, als ich den Teufel auf demselben Statuensockel sitzen sah wie in der Nacht, in der ich zum ersten Mal gegen Paul gekämpft hatte.

„Ohje." Ich zeigte auf meinen Kopf. „Keine gute Zeit für ein Gespräch über unsere Ehe."

Er schüttelte den Kopf, ohne auch nur die Spur eines verführerischen Lächelns auf seinen vollen Lippen zu zeigen. Sein Gesichtsausdruck war weicher als je zuvor, freundlicher sogar, aber seine Saphire funkelten so hell wie immer. Er schlug sein stiefelbekleidetes Bein über das andere. „Ich bin nicht deswegen hier. Ich wollte nur sehen, wie es dir geht."

Aus irgendeinem Grund konnte ich ihn über das Rauschen in meinem Kopf hinweg perfekt hören. Ich zuckte mit den Schultern und beschloss, direkt zum Kern der Sache zu kommen. „Alles macht mir Angst? Ich habe keine Ahnung, ob ich wirklich mit dir rede oder nicht? Also, ich meine... mir ging es schon mal besser."

Er blickte auf das Wort SCHLÜSSEL auf meinem Handrücken und dann mit einem scharfen Nicken weg. Ein Ausdruck purer Qual überzog sein Gesicht, war da und dann wieder weg, und ich musste mich fragen, ob er aus erster Hand den Wahnsinn miterlebt hatte, der jede Jägerin zu unterschiedlichen Zeiten und in unterschiedlichem Ausmaß ergriffen hatte, die er ausgewählt hatte, um eine so beschissene Aufgabe zu übernehmen, und wenn ja, wie ihn das all die Jahre beeinflusst hatte.

„Hast du dir eine andere Jägerin ausgesucht?", fragte ich.

Er schaute mich an, sein blondes Haar glitzerte wie Juwelen, obwohl der Mond von Wolken verschluckt worden war. „Ja."

Ich nickte und versuchte, nicht daran zu denken, wie jung die nächste Jägerin sein könnte. „Und so wird die Jägerin Trost beim Teufel suchen."

Luc verbiss sich ein Lächeln. „Altes Sumerisch?"

„An meinen besten Tagen bin ich ein wenig eingerostet", scherzte ich. „Selbst wenn du die Jägerin nicht selbst gewählt hast, hast du ihnen Hilfe angeboten - Geld, ein Schwert, einen Heiratsantrag. Warum?"

Er verschränkte die Arme, was seine lederumwickelten Schultern breiter erscheinen ließ. „Ich bin nicht so schrecklich, wie alle sagen."

„Das mag sein, aber das beantwortet nicht meine Frage."

Er runzelte die Stirn und schien einen Moment lang zu überlegen. „Die Jägerin zu sein ist ein undankbarer Job, das kann ich nachvollziehen. Nicht viele Leute danken es mir, wenn ich sie bis in alle Ewigkeit quäle."

„Arschlöcher."

Er lachte, ein tiefes, angenehmes Lachen. „Stimmt. Ich sehe auch etwas von mir in der Jägerin, nehme ich an. Ein Leben, das wir nicht wollten und das uns trotzdem aufgezwungen wurde. Eine Strafe oder ein Segen, je nachdem, wie wir es gestalten wollen."

„Ah, ich verstehe, was hier los ist. Ist das die Stelle, an der du eine aufmunternde Rede haltest, in der du jedes Motivationsposter zitierst, das je gemacht wurde?"

„So lustig das auch klingt, nein. Ich brauche keine Rede zu halten." Er starrte mich mit seinem juwelenbesetzten Blick an. „Ich habe keinen Zweifel, dass du Paul töten wirst."

Das war ein großes Lob von jemandem, der so weit oben auf dem übernatürlichen Totempfahl stand. „Warum wählt man dann die nächste Jägerin?"

Er zuckte die Achseln. „Ich bin ein Geschäftsmann, und erfolgreiche Geschäftsleute planen voraus. Ich habe die Namen von guten, potenziellen Jägerinnen für die nächsten fünfhundert Jahre."

„Beeindruckend", sagte ich und hob eine Augenbraue. „Bonuspunkte, wenn sie alphabetisch geordnet sind."

„Natürlich." Er warf mir einen Blick zu, als sollte ich es besser wissen, als seine organisatorischen Fähigkeiten in Frage zu stellen. „Aber es gibt nur ein Problem mit meiner Liste."

„Oh?"

„Sie sind gut, nicht großartig. Keiner von ihnen ist Belle Harrison."

Ich schmunzelte und versuchte, meinen Schock zu verbergen. Konnten Teufelskomplimente jemals etwas Gutes sein, oder waren sie von vornherein schlecht? „Du schmeichelst mir."

„Das ist die Wahrheit. Du bist ziemlich gut." Seine Saphire funkelten. „Aber du wirst gewinnen, und dann kannst du so lange Jägerin sein, wie du... bist. Ich wollte sagen *lebst*, aber das trifft hier nicht wirklich zu, oder?"

„Nein, du vergisst, dass ich meine Jägerinnenkraft an eine Leichenblume abgebe. Oder wusstest du das überhaupt?"

Er nickte. „Ich wusste es und ich erinnere mich, aber für die übernatürliche Gemeinschaft kann die Jägerin keine Blume sein. Du kannst die Jägerin nur dem Namen nach sein, während die Leichenblume deine Macht in sich trägt." Er schnippte mit der Hand nach mir. „Wenn du willst."

„Und wenn ich nicht will?"

„Nun, ich habe schon einmal einen falschen Senat angeheuert. Ich kann auch eine falsche Jägerin anheuern."

Ich war so lange die Jägerin gewesen, dass es ein Teil von mir geworden war, mit meinem Kartoffelhirn und allem. Könnte ich das aufgeben, selbst wenn ich Paul töte? Das wäre so, als würde ich eine Lunge aufgeben, nicht dass ich eine Lunge bräuchte, aber ich mochte es irgendwie, sie zu haben. Wie die Macht der Jägerin gehörte auch meine Lunge mir. Selbst wenn ich meine Kraft auf die Leichenblume übertrug, konnte ich die Rolle der Jägerin problemlos weiterführen, ohne es wirklich zu versuchen.

„Die ganze Sache mit den Vampiren, die Vampire töten..." begann ich. „Es ist seltsam. Ich habe den Holzschuppen gut genutzt, und dann hat mein..." Oops. Ich war noch nicht so weit, das zu sagen. „Detective Appelt hat neugeborene Vampire eingesammelt und sie in der alten Senatsvilla untergebracht, bis der anfängliche Blutrausch etwas abgeklungen ist."

Er schüttelte den Kopf und sah mich genau an. „Bittest du mich auch um Erlaubnis, das zu tun?"

Ich schnaubte. „Nein."

„Du hast immer deine eigenen Regeln gemacht." Er winkte in Richtung meines Vampirhauses, dessen Tür immer noch weit offen stand, obwohl Jacek versuchte, sie zuzuschieben. „Das ist dir bisher ganz gut gelungen, wie es scheint."

Das hatte sie. „Ja."

„Sie lieben dich, weißt du." Sein Kiefer straffte sich, als er das sagte, als würde es ihm gar nicht gefallen.

„Das ist eines der wenigen Dinge, derer ich mir heutzutage sicher bin."

„Und du liebst sie." Das war keine Frage, denn er wusste so gut wie jeder andere, dass es nicht nötig war, eine zu stellen.

„Ja", sagte ich schlicht.

Er schaute weg, sein Gesicht war nun im Schatten verborgen. Es entstand ein langes Schweigen, das mir nur deshalb peinlich war, weil ich tief in mir wusste, dass er das nicht hören wollte. Ein Teil von mir fühlte Mitleid mit ihm, fragte sich, wie es wohl wäre, wenn ich Ja gesagt hätte, die Königin der Hölle zu sein, aber dieses Leben war nicht meins. Es war nicht das, was ich mir ausgesucht hatte, und obwohl mir bisher nur wenige Entscheidungen im Leben vergönnt waren, fühlte ich mich mit jeder einzelnen davon verdammt gut. Und was noch wichtiger war: Ich wusste, dass Mom stolz auf mich wäre, weil ich meinen eigenen Weg gegangen bin.

„Also …" Ich drehte mich um und starrte auf der anderen Straßenseite auf all die Türen, die noch offen standen. „Sind die Eingangstüren wirklich offen?"

Luc folgte meinem Blick und seufzte. „Ja."

„Paul wollte noch einen letzten Spaziergang durch Podunk City machen, einen langsamen, ruhigen, denke ich. Das ist viel nervenaufreibender als seine lauten „Ich gehe jetzt durch die Tür"-Spaziergänge.

„Ich nehme an, du kannst ihn in zwei Tagen fragen."

„Ja, ich glaube, ich bringe ihn einfach um", sagte ich und drehte mich wieder zu Luc um.

„Dieser Plan gefällt mir besser." Er grinste und stand auf, sein Ensemble aus Leder und Denim knarrte. Er kam näher und dann noch näher und hielt meinen Blick mit seiner Kraft, seiner Hitze und seiner Schönheit gefangen. Langsam, als wäre ich ein verängstigtes Kaninchen oder eine verletzte Jägerin, beugte er sich vor und presste seine Lippen auf meine Stirn. „Bis wir uns wiedersehen, Belle Harrison."

Und dann war er weg.

Vielleicht war das wirklich passiert. Oder vielleicht war das wirklich passiert. Auf jeden Fall kribbelte meine Stirn dort, wo er mich geküsst hatte. Ein gutes Kribbeln, aber nicht die Art, die normalerweise mein Höschen durchnässte, wenn er meinen Lustpegel absichtlich in die Höhe trieb. Es war ein Kribbeln, das etwas von dem Schleim aus meinem Kopf schwappte und dann meine Gedanken etwas entstaubte und neu ordnete. Die Luft schien ein wenig leichter zu sein und drückte nicht mehr so fest gegen meine Haut. Meine Muskeln fühlten sich lockerer an, und das statische Rauschen war so leise geworden, dass ich einen Zweig hinter mir knacken hören konnte.

Und das habe ich wörtlich gemeint.

Ich drehte mich um, und da stand mein Erzfeind etwa einen Meter entfernt neben der offenen Falltür. Er schwankte etwas zur Seite, der Bereich unter seinem Paul-Namensschild war geschwärzt und drückte in sich zusammen.

War das die Stelle, an der ich ihn mit dem Gottesknochen gestochen hatte?

Diese Wunde war nicht da gewesen, als ich ihn im Gästezimmer gesehen hatte, oder als ich ihn in der Küche gesehen hatte, als er mir gegenüber am Tisch stand, wo Detective Appelt gewesen war. Diese Versionen hatte ich mir nur eingebildet, aber dieser Typ... Das war alles Paul.

„Genau der Gott, den ich sehen wollte." Ich bog meine Finger, fühlte ihre Leere, bekämpfte aber das Bedürfnis, mich mit dem Götterknochen zu bewaffnen. Er könnte ihn leicht gegen mich verwenden. Natürlich könnte er ihn in zwei Nächten auch gegen mich verwenden, und seien wir ehrlich - ich war in letzter Zeit zu seinem persönlichen Nadelkissen geworden.

Er drehte seinen Kopf in Richtung der offenen Türen auf der anderen Straßenseite, so unbekümmert um meine Anwesenheit, dass er kein Risiko darin sah, wegzuschauen, der Scheißkerl. Ich hatte wirklich keinen großen Eindruck hinterlassen, nicht wahr? Eine kochende Hitze durchströmte meinen Bauch, und meine Fingernägel gruben sich in meine Handflächen.

„Hey, Arschloch." Meine Stimme zerreißt die Luft zwischen uns wie eine Peitsche mit Zähnen.

Seine wässrigen blauen Augen blieben auf all die offenen Türen gerichtet, die nur darauf warteten, dass er hindurchging. „Schön..."

„Ach, hör doch auf mit dem Scheiß", rief ich. „Hör auf, darüber zu grübeln, dass du mit allgemeinen Höflichkeiten überlistet wurdest. Du bist sauer. Wir haben es verstanden. Halt einfach die Klappe."

Er wandte seinen Blick wieder zu mir und folgte der Bewegung langsam mit seinem Kopf. Sein Körper begann zu vibrieren und zu verschwimmen, er schlurfte vor und zurück, obwohl seine Bowlingschuhe an der gleichen Stelle standen. „Ich glaube, wir sollten jetzt spazieren gehen."

Wir. Er hatte „Wir" gesagt. Was hatte das zu bedeuten?

In einem Augenblick, schneller als jeder Vampir, tauchte er Zentimeter vor mir auf, packte meinen Hintern und warf mich. Die offene Falltür gähnte unter mir auf, und dann fiel ich geradewegs auf sie zu, direkt in den Bauch der Bestie.

Aber nein. Wir konnten das jetzt nicht tun. Nicht heute Nacht. Nicht ohne den Vollmond und die Leichenblumen, um die Energie in seinem Seeportal zu entziehen und ihn in seiner eigenen verdammten Dimension zu fangen, *nachdem ich ihn getötet hatte*.

Die Dunkelheit in der Falltür wuchs schnell an. Ich holte mit Armen und Beinen aus und versuchte, meinen Körper so groß wie möglich zu machen, damit ich nicht durchfallen konnte. Ich landete hart auf der Kante der offenen Tür, wobei sich mein rechter Arm und mein rechtes Bein schmerzhaft um die Tür schlangen. Durch den plötzlichen Stopp wurde ich mit dem Gesicht gegen die Metalltür geschleudert. Und dann schloss sie sich, schloss sich über mir.

„Nein!" Ich versteifte mich am ganzen Körper und streckte meinen freien Arm und mein Bein aus, um den Boden zu erreichen und die Tür aufzuhalten.

Meine Fingerspitzen berührten kaum Erde. Mein Stiefel schrammte über den Kies. Aber die Tür drückte auf mich ein, schwerer als ein Tausendpfundgewicht, selbst mit meiner Vampir/Jägerinnen-Kraft. Und sie wurde immer schwerer, die

Kanten knirschten an meinen Knöcheln und meinem Knöchel, den einzigen Dingen, die mich im Moment davon abhielten, in die Falltür zu stürzen.

Ein tiefes, rostiges Lachen schabte von knapp über mir durch die Nacht, und die Tür wurde noch schwerer. Denn Paul stand mit seinen blöden Bowlingschuhen darauf.

Die Wut brodelte unter meiner Haut, bis sie zwischen meinen zusammengebissenen Zähnen hervorzischte. Er hatte gedacht, er hätte gewonnen. Die ganze Zeit, und er hatte immer noch keine Angst, dass ich ihn töten würde. Oh, aber das würde ich. Und zwar sehr.

„Scheiße. Du", stieß ich hervor. Und dann nutzte ich die Kraft meiner zerquetschten Fingerspitzen und die meines gequetschten Knöchels, um mein Gewicht so weit abzustützen, dass ich mich mit aller Wut, die ich aufgestaut hatte, gegen die Tür drücken konnte.

Die Falltür sprang auf, und ich kletterte schnell genug hinaus, um zu sehen, wie Paul mit der Kraft, mit der ich mich befreit hatte, gegen einen hohen Grabstein krachte, der etwa drei Meter entfernt stand.

„Warum lachst du jetzt nicht, du verdammtes Stück Scheiße?" Ich stürzte auf ihn zu und hätte in meiner Eile, ihn herauszuholen, beinahe die Tasche mit dem Gottknochen zerrissen. Aber er war nicht da. Verdammt, wo hatte ich ihn nur hingetan? Ich tastete mich ab. *Da*, in meiner anderen Tasche. Ich riss ihn heraus.

Er stand auf, das Kinn in die Brust gestützt, keine Spur von Lachen in den harten, wütenden Zügen seines Gesichts. „WARUM WILLST DU NICHT STERBEN, FOTZE?"

„Das könnte ich dich auch fragen." Ich hob den Gottesknochen an. Spürte, wie er sich kühl und natürlich an meine Handfläche anschmiegte. Zielte direkt auf sein Herz.

Das statische Rauschen in meinem Kopf schraubte sich auf elf hoch, durchdrungen von Schreien, die sich bis in meine Seele bohrten. Meine Sicht verschwamm, bis Paul zu einer vagen, aquarellartigen Gestalt wurde, die sich viel zu schnell bewegte.

Er warf mich auf den Boden. Ein Teil von mir flog in die entgegengesetzte Richtung. Nun, das war wahrscheinlich nicht gut, aber ich spürte keinen Schmerz. Nur meine Seele versuchte, dem schrecklichen Geräusch zu entkommen, das ich nicht mehr unterdrücken konnte, und darunter das unleugbare Bedürfnis, einen Gott aus einer anderen Dimension zu töten. Er schritt auf mich zu, und ich überprüfte kurz, was fehlte - meine Kevlar-Weste.

Aber nicht der Gottesknochen. Vielleicht konnte er ihn nicht berühren. Trotzdem, jetzt war ich bewaffnet und gefährlich und völlig schutzlos. Deshalb konnte ich keine Scheiße bauen. Hörst du das, du selbst? Keine Scheiße bauen.

Den Götterknochen fest umklammernd, schnellte ich auf die Beine und schnitt ihn durch die Luft, bis er einschlug. Ich blinzelte, als ein plötzlicher Regen vom Himmel fiel, der in kalten Bahnen auf mich niederging und das Blut von meinem

Pfahl wusch. Nur hatte ich einen Götterknochen in der Hand. Und hinter dem blutigen Pfahl war nicht Paul.

Es war nicht Paul.

Aber Tim, der Friedhofswärter, der seine Thermoskanne vergessen hatte, verschränkte die Arme vor der Brust und starrte geschockt. Er stolperte rückwärts gegen eine niedrige Bank, und als er mit dem Rücken seiner Beine darauf stieß, fiel er darauf. Alles, was er unter seinen verschränkten Armen zu verbergen versucht hatte, ergoss sich mit furchtbaren nassen Spritzern in die Regenpfützen zu seinen Füßen.

Ich schüttelte den Kopf. Nein, das war alles falsch. So hatte es sich nicht abgespielt. Das war ein Albtraum, aber nicht meiner. Doch ich konnte mich auch nicht daran erinnern, die Nachricht durch Pauls Falltür an die Wand geschrieben zu haben. Hatte ich das getan? Hatte ich Tim wegen meines fehlerhaften Jägerinnengehirns getötet? Aber... ich war keine Mörderin. . Das war ich nicht.

Hinter den Grabsteinen und Statuen und durch die Regenwolken hindurch stand das Appelt-Mausoleum immer noch so, wie es zum Zeitpunkt der Ermordung von Tim gestanden hätte. Es war, als wäre ich in der Zeit zurückgereist, um diesen Moment genau so zu sehen, wie er sich abgespielt hatte.

Aber das war nicht der Fall. Nicht auf diese Weise.

Ich ließ den Pfahl fallen, stolperte rückwärts und schüttelte den Kopf. So nicht.

Etwas berührte meine Schulter von hinten. Ich jaulte auf und wirbelte herum.

„Belle!" Sawyer stand da, seine ockerfarbenen Augen weit aufgerissen, die Hände erhoben, als fürchtete er, ich würde wild werden.

„Ich habe ihn nicht umgebracht." Meine Worte überschlugen sich in ihrer Eile, und ich war mir nicht einmal sicher, was ich gerade hatte sagen wollen.

Ich zeigte auf die Bank, die leer war. Tim war nicht hier. Kein Regen fiel. Das Mausoleum war immer noch ein Trümmerhaufen rund um die offene Falltür. Die plötzliche Veränderung versetzte mir ein so starkes Schleudertrauma, dass meine Knie unter mir nachgaben.

Wie aus dem Nichts tauchten Jacek und Eddie in einem Augenblick an meiner Seite auf.

„Es ist noch nicht Vollmond, Sunshine", sagte Eddie mit sanfter und weicher Stimme.

„Nein, nicht Paul. Ich meine, ich habe Tim nicht umgebracht, den Grundstückswärter, wegen dessen Mordes ich verhaftet wurde. Ich schwöre, ich habe ihn nicht umgebracht, aber..."

„Aber was?", fragte Sawyer, sein Gesicht vor Sorge verkniffen.

Das Entsetzen war so groß, dass es mich zerriss, sich in mein Gewissen fraß und meine Stimme erstickte. Denn was wäre, wenn ich Tim getötet *hätte*?

Kapitel Sieben

Am Tag meines einundzwanzigsten Geburtstags erwachte ich im Holzschuppen in der Dunkelheit, allein. Glauben Sie mir, das war besser als die Alternative, denn ich traute mir selbst nicht, nicht einmal ein kleines bisschen. Aber ich hasste es. Mein Körper sehnte sich so sehr nach meinen Vampiren, dass ich vor Verlangen schmerzte, aber ich brauchte Zeit für meine Gedanken in den wenigen Momenten der Klarheit, Zeit, um mich selbst als Vampir/Jägerin neu zu bewerten, Zeit, um mich mental auf den heutigen Abend vorzubereiten.

Widerwillig hatten sie zugestimmt, aber die drei sahen so aus, als ob sie vor lauter Sorge fast in sich zusammenbrechen würden. Um ehrlich zu sein, war ich das auch. Das Rauschen in meinem Kopf war lauter geworden, und die rechte Seite meines Körpers war taub geworden, als hätte sie aufgegeben. Aber nach heute Abend würde alles vorbei sein, auf die eine oder andere

Weise. Nein, das war nicht, dass ich akzeptierte, dass das Ende meinen Tod bedeuten könnte. Ich würde wie ein Verrückter bis zum Ende kämpfen, egal was passiert, so wie ich es die ganze Zeit über getan hatte.

Ein leises Klopfen ertönte an der Außentür des Holzschuppens, und dann kamen meine vier Lieblingspersonen herein, die alle lächelten, aber mit Ausnahme von Cleo waren ihre Augen und Münder in den Ecken angespannt. Sogar der von Jacek, der sein Lächeln immer so natürlich trug. Er trug ein Bündel bunter Heliumballons, Eddie hatte ein Bündel mit meinen Kleidern in der Hand, und Sawyer hielt einen riesigen Becher, auf dem in großen, verschlungenen Buchstaben Slayer Queen stand.

„Herzlichen Glückwunsch zum Geburtstag", sagten sie unisono, als Eddie mir die Glastür öffnete.

Es fiel mir schwer, sie wegen des Rauschens in meinem Kopf zu verstehen, aber ich musste kein Raketenchirurg sein, um das Wesentliche zu begreifen. Außerdem wurde ich immer besser im Lippenlesen. Ich lachte, und meine Brust erwärmte sich so sehr, dass es wehtat. „Danke, Leute."

Eddie drückte mir einen Kuss auf die Wange. „Willst du jetzt Geschenke oder später?"

„Später", sagte ich, und meine Stimme knackte ein wenig.

„Außer diesem hier." Sawyer hielt mir den Becher hin, der bis zum Rand mit Blut und Zimtdampf gefüllt war. „Zwei Prisen Zimt, genau wie du es magst."

„Danke." Ich hob meinen Kopf für einen Kuss, und er erwiderte ihn mit einem leichten Knurren. Ja, zwei Tage waren für uns alle viel zu lang gewesen.

„Wo das herkommt, gibt es noch mehr", versprach er mit einem straffen Lächeln.

Nachdem er die Heliumballons in der Ecke des Holzschuppens abgestellt hatte, nahm mich Jacek in den Arm und küsste mich auf den Scheitel. „Wir hatten auch eine Torte, mit deinem Namen drauf und allem, aber du wirst nie erraten, wer sie gegessen hat."

Cleo knurrte und fletschte die Zähne, als hätte er gerade eines ihrer dunkelsten, schändlichsten Geheimnisse ausgeplaudert.

„Ist schon gut, Mädchen", sagte ich. „Du verdienst diesen Kuchen und noch viel mehr."

Sie setzte sich auf Jaceks Fuß, blähte ihre Brust auf und grinste ihr albernes Hundegrinsen, das mich wieder in sie verliebt machte.

Ich lachte in meinen Becher mit Blut und trank ihn dann aus. Ah, das war jedes Mal ein Volltreffer. Meine Reißzähne traten bei dem Geschmack hervor, und ich fragte mich kurz, wie meine Vampire verhinderten, dass die ihren dasselbe taten, wenn sie aus Bechern tranken. Wahrscheinlich Übung. Ich leckte mir über die Reißzähne, um sie wieder einzuklappen. „Ich sollte mich wohl anziehen, damit ich so aussehe, als wüsste ich, was ich tue, was?"

„Wir haben alles, was du brauchst, an der Eingangstür", sagte Eddie.

Jacek nickte. „Eddie hat dir sogar deinen heiligen BH mit Weihwasser aufgefüllt, aber er hat sich geweigert, ihn anzuziehen."

Eddie griff nach einem seiner Brustmuskeln. „Das ist nicht meine Größe."

„Danke", sagte ich und schnaubte, „Aber ich würde mir wahrscheinlich nur ins Gesicht spritzen. Außerdem hoffe ich, dass ich heute Abend nur gegen Paul kämpfen muss und nicht gegen Vampire, und dann komme ich nach Hause."

„Wir wollen doch nur, dass du nach Hause kommst, Belle", sagte Sawyer.

„Einverstanden", sagte Eddie.

„Drittens." Jacek holte einen Aktenordner hinter seinem Rücken hervor. „Wir ... wir haben Ihnen auch etwas zu zeigen."

„Detective Appelt hat es gefunden", sagte Sawyer und beobachtete mich aufmerksam. „Es ist Teil des Polizeiberichts für Tim."

Ich nahm die Mappe, hielt sie fest, bis sie zu zerknittern begann, und reichte sie dann zurück. „Ich muss es nicht sehen."

Jacek warf einen Blick auf Sawyer. „Bist du sicher? Es..."

„Das ist psychologische Kriegsführung", sagte ich. „Ich kenne mich selbst, so wie ihr mich kennt, alle meine Macken, meine Ängste, alles, was ich mir wünsche. Ich habe Paul an mich herangelassen, und sicher liegt das zum Teil daran, dass ich ein zerquetschtes Kartoffelhirn und Löcher in meinem Gedächtnis habe, die groß genug sind, um hindurchzugehen. Aber ich bin keine Mörderin. Wenigstens nicht an Menschen. Götter und

Vampire müssen sich in Acht nehmen, Anwesende natürlich ausgenommen."

Jacek grinste, dieses Mal wirklich. „Nun, das ist im Grunde das, was im Bericht steht. Ich meine, nicht alles, was du gerade gesagt hast, aber die Waffe, mit der Tim getötet wurde, war aus Metall. Du hattest damals noch nicht Night's Fall, und es wurden auch keine Holzsplitter von einem Pflock in ihm gefunden. Du warst es nicht, und... ich erkläre dir etwas, was du schon weißt."

Eddie verzog bei Jacek das Gesicht. „Ich glaube, das nennt man Mansplaining."

Ich lachte, was das Rauschen in meinem Kopf für eine Sekunde lauter werden ließ, und ich versuchte, nicht zusammenzuzucken. „Ja, es ist ein Mansplaining, aber ich lasse es durchgehen. Paul versucht nur, mich zu zermürben, bis ich spröde und knusprig bin. Er weiß ja nicht, dass ich spröde und knusprig mag, weil es mich an eine Kuchenkruste erinnert. Ich *bin* eine Kuchenkruste."

Sawyer nahm meine Hand und drückte sie. „Das Ding, das den Kuchen und das Universum zusammenhält."

Jacek machte eine Bewegung wie eine Explosion. „Bumm."

„Verdammt richtig", stimmte Eddie mit dem Lächeln zu, das er für mich reserviert hatte.

Ich nahm einen langen Schluck Blut aus meinem Becher, dann leckte ich mir die Reißzähne wieder auf. „Im Grunde muss ich nur einen klaren Kopf behalten, damit ich Paul töten kann und weiterhin eine Kuchenkruste bin."

„Was können wir tun, um zu helfen?", fragte Sawyer. „Mehr Blut, damit du wieder zu Kräften kommst?"

„Der Mond ist aufgegangen, aber du hast noch Zeit, alles zu tun, was du brauchst", sagte Eddie.

„Ähm", sagte ich zittrig. Manchmal raubte mir ihre Großzügigkeit völlig die Stimme, und ich brauchte einen Moment, um sie wiederzufinden. „Nein, ich muss einen Gottschädel knacken."

Jacek strich mit seiner Hand über meinen Rücken. „Das ist meine Jägerin."

„Wir warten draußen, damit du dich umziehen kannst", sagte Eddie.

Jacek hielt einen Finger hoch. „Aber nur eine Sekunde, denn ich will dich nackt sehen."

„Das ist mir so oder so egal", sagte ich lachend und zog mein Goofy-Shirt aus.

Sie standen da, alle drei, und sahen zu, wie ich mich entkleidete, und die Macht und der Hunger ihrer Blicke verstärkten den Schmerz zwischen meinen Beinen zu einem ständigen, schmerzhaften Bedürfnis. Ich würde sehr bald entweder ficken oder töten müssen, vorzugsweise töten und *dann* ficken. Der Gedanke lenkte mein Gehirn auf etwas anderes als das Rauschen und die Taubheit, ließ meine Hüften noch mehr wackeln, als ich mit der linken Hand in meine Jeans schlüpfte, erhellte das Ende des Weges, der in die Unendlichkeit führte, mit ihnen an meiner Seite und in meinem Herzen, für immer.

Sobald ich angezogen war, stand ich vor ihnen, so bereit, wie ich nur sein konnte. „Ich habe eine Menge Dinge, die Paul nicht hat, aber heute Abend habe ich noch etwas mehr."

„Was ist das?", fragte Eddie.

„Patrick Seesternsocken".

Jacek lachte. „Das war schon immer das fehlende Element. Ich bin überrascht, dass wir nicht früher darauf gekommen sind."

Sawyer beugte sich hinunter und küsste mich auf die Wange. „Paul hat nicht die geringste Chance."

„Ein weiterer Halt am Haus wegen der Waffen und..." Jacek blickte zu Eddie und Sawyer. „Andere Dinge."

„Welche anderen Dinge?", fragte ich.

„Du wirst schon sehen." Jacek ging auf die Tür zu, und ich erkannte an seiner Stimme und der Enge seines schwarzen T-Shirts, dass mir diese „Anderen Dinge" nicht gefallen würden.

Gemeinsam verließen wir den Holzschuppen und gingen in den Hinterhof hinaus. Wenn ich mich konzentrierte, beeinträchtigte das Taubheitsgefühl auf der rechten Seite meines Körpers nicht die Art, wie ich ging. Also ... das war gut.

Der Vollmond hing fett und schwer an einem Wolkenband und sorgte für die perfekte Stimmung für eine schreckliche Halloween-Nacht. Und ich hatte Angst, sogar noch mehr als beim letzten Mal, als wir die gleiche Wanderung zum Friedhof gemacht hatten und ich Paul nicht besiegen konnte. Ich zitterte sowohl in meinen Patrick-Socken als auch in meinen

Arschtreter-Stiefeln und bereute es ernsthaft, den letzten Tropfen dieses riesigen Bechers Blut getrunken zu haben. In meinem Magen kribbelte es fast so laut wie das Rauschen in meinem Kopf.

Aber was ich bis vor zwei Nächten nicht erkannt hatte, war, dass ich beim letzten Mal nicht versagt hatte. Nicht ganz. Ich hatte Paul verletzt, wie man an der seltsamen schwarzen Krümmung in seinem Körper sehen konnte. Sicher, er hatte mir auch wehgetan, aber sieh mich jetzt an. Eigentlich nur meine linke Seite und nicht meine rechte, denn die war taub geworden. Aber ja, es war eine ziemlich schöne linke Seite, wenn ich das mal so sagen darf, zumindest körperlich. Wenn ich meine Jägerinnenkraft mit einer Leichenblume ausgeschaltet habe, dann pass auf, Welt, denn meine Seiten würden alle in Ordnung sein. Ich würde in weniger als drei Stunden - ich schaute auf meine Micky-Maus-Uhr - wieder topfit sein.

Alle Süßes-oder-Saures-Kinder waren bereits nach Hause gegangen. Sie hatten keine Haustüren, an die sie hätten klopfen können, denn sie standen alle noch offen, jede einzelne, auch die meiner Vampire. Die meisten hatten die uralte Podunk City-Methode angewandt, um ihre Eingänge zu verdecken - schwarze Müllsäcke und auch ein paar Bretter.

Jacek ertappte mich dabei, wie ich über die Straße starrte, als wir zum Haus gingen. „Die Türen lassen sich nicht schließen. Und es wird noch merkwürdiger werden."

„Oh gut. Ich wollte gerade sagen, dass ich mehr Verrücktes in meinem Leben brauche." Ich trat auf die vordere Veranda und blieb vor der offenen Tür stehen. Wasser perlte am oberen Rand des Türrahmens, tropfte aber nicht, sondern blieb einfach hängen.

„Das ist offensichtlich Paul", sagte Eddie neben mir, „Aber er läuft diesmal nicht durch die Stadt."

„Er tropft", sagte ich und stieg die restlichen Stufen hinauf. „Oder er ist dabei zu tropfen."

„Es ist in der ganzen Stadt dasselbe", sagte Sawyer mit leiser, frustrierter Stimme. „Alle Türen sind offen und lassen sich nicht schließen. Auf allen Rahmen steht Wasser."

Ich hob meine Hand, als wollte ich sie berühren, aber dann überlegte ich es mir anders. „Könnte das Wasser eines Sees sein?" Aber dann beantwortete ich meine eigene Frage, zumindest in gewisser Weise. „Aber er wollte, dass der Teufel seinen See unter die Falltür verlegt, weil er ihn dort haben will."

„Ich weiß es nicht, Sunshine", sagte Eddie und rieb sich den Kiefer. „Ich bin ratlos."

„Du und ich. Gräbt Paul immer noch tote Jägerinnen aus?"

Eddie nickte. „Der letzte, von dem wir gehört haben, war vor einer Woche. Auf der anderen Seite des Globus."

Ich duckte mich unter dem baumelnden Wasser, denn es würde nicht viel nützen, nur darauf zu starren und zu versuchen zu erraten, was Pauls Plan war. Ich hatte Leichenblumen zu pflanzen.

Jacek schnallte mich in meine Kevlar-Weste, und Eddie zog meine Lederjacke darüber, während er mir ... einige Dinge erklärte. Schriftliche Anweisungen, dachte ich. Ich versuchte aufzupassen, aber die Lichter im Haus waren zu hell, das Rauschen zu laut, die rechte Seite meines Körpers zu pfützenartig. Sawyer hob den vollen Seesack vom Boden auf und machte den Fehler, ihn an meine rechte Schulter zu hängen. Sie klirrte auf den Boden.

Bis jetzt lief es wirklich gut.

„Versuche es mit meiner linken Schulter." Ich bewegte meinen Mund um diese Worte herum, aber es klang, als ob ich Murmeln gurgeln würde.

Aber Sawyer schien die Botschaft zu verstehen. Meine linke Schulter auch.

Wir machten uns auf den Weg, weil wir keine Zeit mehr verlieren wollten. Abgestorbene Blätter klapperten auf dem Gehweg vor uns und führten uns in die Dunkelheit, die im Inneren des Friedhofs brodelte. Sie drückte gegen die Eisentore, schwärzer als die Nacht. Je näher ich ihr kam, desto lauter wurde das Rauschen.

Mit der rechten Hand steckte ich umständlich den Schlüssel ins Schloss und drehte ihn, damit meine Vampire nicht sahen, wie sehr meine linke Seite zitterte, obwohl sie es sicher trotzdem sahen. Als ich das Tor mit der Hand umklammert hatte, um es aufzuschieben, kam mir ein Gedanke.

„Detective Appelt", sagte ich.

Sawyer nickte und hörte meine unausgesprochene Frage und all die verdrehten Gefühle, die mich davon abhielten, sie direkt zu stellen: Wo war mein Vater?

„Er sagte, er würde hier sein", sagte Sawyer.

Aber ... er war es nicht. Ich hatte ihm so viele Dinge zu sagen, vor allem, wenn ich nie wieder aus der Falltür herauskommen würde, aber ich konnte auch nicht auf ihn warten. Von allen Zeitpunkten, an denen ich hätte auftauchen können, wäre jetzt ein wirklich guter gewesen.

Ich schob mich durch das Tor, den Mund fest gegen ein hartnäckiges Wackeln in der linken Seite meines Kinns gepresst. *Nicht weinen. Hörst du das, du selbst? Du bist fertig.*

Sawyer nahm meine Hand und glaubte nicht eine Sekunde lang, dass ich nicht enttäuscht war. Er kannte mich zu gut. Genauso wie Cleo, die sich mit ihrer Wärme an meine Seite drückte.

Wir betraten den Friedhof, und sofort nadelte die Dunkelheit durch meine Kleidung und rammte sich in meine Kehle, um mich zu ersticken. Es war egal, dass ich sie nicht einatmete. Sie schien mir genauso wehtun zu wollen wie Paul. Es zerrte an meinen Füßen und zehrte schon an meiner Energie, bevor ich überhaupt angefangen hatte. Die rechte Seite des Friedhofs begann sich zu neigen, als würde sie aus der Realität herausgerissen.

Oh Mann, das hat mich ganz schön aus dem Gleichgewicht gebracht.

Ich brachte Sawyer zum Stehen und kniff die Augen zusammen.

„Belle?", fragte er.

„Was ist los, Jägerin?", fragte Jacek.

„Ich habe nur Halluzinationen, das ist alles. Es ist keine große Sache. Mach weiter." Ich öffnete die Augen und setzte ein falsches, fröhliches Gesicht auf, auch wenn die rechte Seite meines Körpers und die rechte Seite der Erde sich anfühlte, als würde sie entgleiten.

Sawyer klammerte sich an meine Hand, oder ich mich an seine, und unter den wachsamen Blicken aller meiner Vampire und Hunde gingen wir weiter. Als wir die Falltür erreichten, die immer noch offen war, konnte ich nichts mehr hören. Das statische Rauschen erfüllte die ganze Welt.

Trotzdem würde mich das nicht davon abhalten, zu sagen: „Ich möchte einfach unsere Unsterblichkeit zusammen verbringen.

Meine Vampire schienen einverstanden zu sein, aber ich konnte nichts hören.

„Ich werde die ganze Zeit damit verbringen, euch zu zeigen, wie sehr ich euch liebe..." Verdammt, ich hatte mir gesagt, dass ich nicht weinen würde, aber meine Kehle schnürte sich vor Rührung zu. „Wie sehr ich euch drei liebe. Und dich, süße Cleo."

Jacek war als Erster da und bot mir seine Schulter an, an der ich mich ausweinen konnte. Und dann Eddie, und dann Sawyer, jeder von ihnen war für mich da, so wie sie es von Anfang an gewesen waren. Dann, als Sawyer mich losließ, drehte ich mich zur Falltür und blieb stehen.

Detective Appelt stand da mit einem Seil in den Händen, das er an der Innenseite der Falltür befestigt hatte. Dann sagte er etwas, und die Form und die Bewegung seines Mundes ließen mich vermuten, dass er vom Fallen sprach, oder davon, nicht zu fallen, da er das Seil mitgebracht hatte. Es war so fürsorglich und väterlich, dass ich ihn anlächelte. Er unterbrach, was immer er auch sagte, und lächelte zurück, ein Spiegelbild dessen, wie ich mir vorstellte, dass meines aussah.

Ich schritt auf ihn zu, streckte die Hand aus und drückte seine Hand. Dann, mit einem letzten Blick auf meine Vampire und meinen Hund, nahm ich dem Detektiv das Seil ab und ließ es in die offene Falltür fallen. Es verschwand im schwarzen Abgrund, und mit einem tiefen Atemzug, den ich nicht zu nehmen brauchte, sprang ich und folgte ihm nach unten.

Kapitel Acht

Mein Seesack knallte mit seinem Gewicht auf meinen Rücken, als ich nach dem Seil griff. Autsch. Es war viel schwerer, als ich es gewohnt war. Ich hangelte mich hinunter ins Nichts. Das Seil machte die Sache so viel einfacher. Ich hatte geglaubt, die Entfernung nach unten sei nur ein Katzensprung, aber anscheinend machte dieser Ort seltsame Dinge mit meiner Wahrnehmung, und zwar in mehr als einer Hinsicht.

Bald - schneller als ich dachte - berührten meine Füße den Boden. Eine schwarze Leere umgab mich, undurchdringlich, selbst mit Vampir/Jägerin/Fee/Piratensicht. Die Taschenlampen-App auf meinem Handy machte es auch nicht viel besser - bis ich ein paar Schritte nach vorne machte und dann schnell wegschaute. Das statische Geräusch zerrte an der Innenseite meines Schädels, sodass ich meinen Seesack fallen ließ und mir an den Kopf fasste, damit er nicht explodierte.

Nur ein bisschen länger. Ich musste mich nur noch ein bisschen länger zusammenreißen.

So deutlich wie alles, was ich je geschrieben hatte, waren diese Worte, vermutlich mit meinen Fingernägeln, in die Wand geritzt. Pauls Worte. Ich weigerte mich, sie anzuschauen. Ich versuchte, nicht an sie zu denken. Warum hatte ich sie geschrieben? War das nur eine weitere psychologische Kriegsführung, um die Statik aufflammen zu lassen und mich zu schwächen?

Ich... ich hatte Dinge zu erledigen. Sie wurden von Eddie geschrieben... nicht an die Wand, sondern auf den Zettel, der an meinen Seesack geheftet war.

Schritt 1: Töte Paul mit dem Gottesknochen.

Das stimmt. Das könnte ich tun. Ich hatte ihm bereits wehgetan. Ich musste nur konzentriert bleiben, so wie das Auge von Sawyers Halskette, das er mir letztes Jahr zum Geburtstag geschenkt hatte, um meinen Hals.

Nachdem ich meinen Seesack wieder geschultert hatte, ging ich weiter, den langen Tunnel hinunter, der zur Brücke führte. Genau wie beim letzten Mal fielen riesige Felsen von oben auf den sich windenden Haufen von Maden, die irgendwie nicht zerquetscht wurden, während sie sich über die einzige Lichtquelle hier hermachten. Es war eine Erleichterung, diesen Ort genau so zu sehen, wie ich ihn in Erinnerung hatte, da ich befürchtete, dass ich ihn durcheinander gebracht hatte.

Ich stand nur mit den Zehen auf dem Steg, schaute zu den herabfallenden Felsen hinauf und überquerte ihn dann ohne Probleme. Auf der anderen Seite erschien der See wie ein aufrechter Spiegel, und ich stürzte in ihn hinein, denn ich wusste bereits, was mich erwartete.

Und dann wurde mir klar, dass ich immer mit dem Unerwarteten rechnen sollte. Mit weit aufgerissenen Augen wurde ich langsamer, als ich mit meinem Handy herumleuchtete. Nur ein paar Jägerinnenkörper schwebten um mich herum durch den See, während ich vorher keinen Schritt hatte machen können, ohne dass eine von ihnen handgreiflich wurde. Wo waren sie also alle hin? Waren sie durch das Portal im See gegangen, um mit Paul in seiner Dimension abzuhängen? Oh, Mist. Würde ihm das noch mehr Macht geben? Ich hoffte nicht, aber ich war dabei, es herauszufinden.

Noch ein paar Schritte, und ich schritt in Pauls Dimension, klatschnass. Sie hatte sich kein bisschen verändert. Vor mir breitete sich ein Albtraum-Friedhof aus, mit geschmolzenen, grausamen Statuen, die die überall herumkrabbelnden Skelettkörper zerfetzten. Die Skelette kreischten, als sie mich sahen, und schleppten sich auf dem geschwärzten Boden vorwärts.

Schritt 1: Töte Paul mit dem Gottesknochen.

Wo war Paul? Ich tastete meine Taschen ab. Und vor allem: Wo hatte ich den Götterknochen hingelegt? Die rechte Hälfte meines Sehvermögens löste sich noch ein wenig mehr auf, beeinträchtigte mein Gleichgewicht und machte mich zur leichten Beute für einen Gott und seine Lakaien.

Nein. Nicht Beute. Ich war ein Ungeheuer, das das Ungeheuer besiegen würde.

Und plötzlich erschien er in seiner wirklichen Gestalt, etwa zwanzig Meter entfernt, ein riesiges, schattenhaftes Wesen.

Ich brauchte den Gottesknochen. Schritt 1. Schritt 1. Schritt 1. Ich blinzelte auf den Zettel hinunter, der an meinem Seesack hing und von Eddies präziser Hand geschrieben war. Neben Schritt 1 hatte er ein Bild meiner Jacke mit einem Pfeil auf die Innentasche gezeichnet.

Mein ganzer Körper zitterte, als ich ihn herausholte und in meiner linken Handfläche hielt. Konzentrieren. Töte Paul, aber der Götterknochen zeigte in die falsche Richtung, um das zu tun. Das statische Geräusch verstärkte sich, als ich ihn umdrehte, und drängte mich dazu, ihn in die andere Richtung zu halten, mit dem tödlichen Ende auf mich selbst gerichtet. Aber das nicht zu tun, war besser, wenn auch nur ein wenig, denn ich hielt ihn mit meiner nicht dominanten Hand fest. Die rechte Seite von mir war so gut wie nutzlos.

Aber das brauchte Paul ja nicht zu wissen, nicht wahr?

„Weißt du was, Paul?" rief ich, während die rechte Seite der Welt noch ein wenig weiter weggerissen wurde. „Ich bin jetzt unsterblich. Schlechte Nachrichten für dich, hm?"

Einen Moment später tauchte er an meiner Seite auf und versetzte mir eine bösartige Rückhand, die mich von den Füßen fegte. Ich landete hart auf einem umherstreifenden Halbskelett, das ich in Stücke schlug, und rollte mich dann auf die Füße, bevor mich eine Statue packen und in zwei Teile brechen konnte.

Dann stürzte ich mich auf Paul, so schnell ich konnte, und schien dabei die rechte Seite meines Körpers hinter mir herzuziehen. Gleichzeitig raste er auf mich zu, und wir wurden zu zwei Güterzügen, die das ultimative Hühnerspiel spielten.

Aber meine Welt zerriss noch ein wenig mehr, erschütterte meine Seele mit der Wucht des Geschehens, und ich stolperte. Paul stürzte auf mich zu.

Schmerz. So sehr, dass ich schrie. Zerreißend. Zerfetzen. Weit weg hatte eine der sich bewegenden Statuen meine Kevlar-Weste und verwandelte sie in schwarze Bänder. Zumindest hoffte ich, dass das meine Weste war und nicht mein Torso.

Ich hatte verloren. Noch einmal.

Und das konnte *nicht* passieren.

Ich rollte mich von meiner Position mit dem Gesicht nach unten auf dem Boden ab, die Statik in mir ließ den Schmerz in Zeitlupe durch meine Nerven vibrieren. Als ich an meinem Körper hinunterblickte, stellte ich fest, dass ich verstümmelt, aber größtenteils unversehrt war, tot, aber nicht ganz tot. Das bedeutete, dass ich Schritt 1 immer noch vollenden konnte.

Doch ohne die Weste war mein Herz nun ungeschützt, um es mit einer Waffe zu durchbohren und all die Liebe, die es erfüllte, zu zerstören. Nein. Ich hatte zu viel, wofür es sich zu leben lohnte.

Ich war nicht das Monster, das das Monster besiegte. Noch nicht. Aber ich könnte es sein. Ich hatte Angst, wie Paul zu sein, aber ich war schon wie er. Schließlich hatte ich seine Macht. In seinen Augen war der Senat das Monster, weil sie ihm seine Macht gestohlen hatten. Sie hatten ihn besiegt, auch wenn sie ihn nicht getötet hatten.

Ich könnte beides tun.

Paul war bereits im Begriff, einen weiteren Angriff zu starten, ein schwarzer Fleck aus Wildheit und Kraft.

Ich zwang mich aufzustehen, um ihm direkt gegenüberzustehen. „Ein schöner Abend für einen Spaziergang, nicht wahr?"

Er hielt plötzlich inne, als hätte ich eine Mauer vor mir errichtet, eine Mauer, die ihn blitzartig an seine erste Niederlage erinnerte, die Niederlage vor dem Senat, die ihn überhaupt erst seine Macht verlieren ließ, die Wurzel seiner Besessenheit von diesen dunklen Worten und dem Töten der Jägerin für seine Macht.

Der Schmerz hämmerte so stark in meinem Kopf, dass meine Sicht verschwamm. Ich ignorierte ihn. Ich musste es tun. Das war es.

Mit einem Gebrüll, das den Anstieg des Rauschens übertönte, sauste ich auf ihn zu, den Gottknochen im Anschlag.

Schritt 1: Töte Paul mit dem Gottesknochen.

Fokus. Fokus.

Ich nahm Anlauf auf einen schmelzenden Grabstein und sprang hoch, direkt auf seine verschwommene Gestalt zu. Die Spitze des Götterknochens bohrte sich dorthin, wo sein Auge hätte sein können, wenn er aus etwas anderem als Dunkelheit bestanden hätte. Er brüllte und schlug um sich, schnappte mit den Klauen nach mir, um mich von ihm wegzureißen. Aber der Götterknochen steckte tief drin, und ich hatte nicht vor, ihn loszulassen. Ich grub ihn weiter ein, zog ihn nach unten, bis er mich schließlich wegpeitschte. Irgendwie landete ich auf meinen Füßen, die beide durch die Rippenkäfige von zwei kriechenden Skeletten pflügten.

Ich blickte zu Paul auf, der gestürzt war. Er lag in seiner menschlichen Gestalt da, seine gestreiften Bowlingschuhe ragten aus dem Boden, sein Namensschild auf dem Hemd war mit Dreck verschmiert, und aus seinem Auge ragte ein Gottknochen. Er starrte mich mit einem entnervenden Grinsen im Gesicht an, aber er war am Boden. Er lag im Sterben. Er hat nicht einmal versucht, aufzustehen.

Warum hat er dann gelächelt?

Ein lautes *Klirren* ertönte aus der Richtung des Seeportals, aber als ich mich umdrehte, konnte ich nicht sehen, warum. Dann verblasste Pauls Lächeln, sein einäugiger Blick wurde leer, und seine Haut und sein Haar schrumpften, bis er ein weiteres skelettartiges Spielzeug für die sich bewegenden Statuen war.

„Ich habe es geschafft", sagte ich ungläubig. „Ich habe es geschafft."

Aber ich war noch nicht fertig. Ich fasste mir an die Seiten meines Kopfes und zwang mich, noch ein wenig länger durchzuhalten. Ich stolperte auf Paul zu, weil ich diesen verdammten Knochen zurückhaben wollte, und wenn ich ihn dann hatte, musste ich … ähm. andere Dinge tun.

Mein Seesack, dort neben dem Portal. Ich schrie auf, als ich mich auf den Weg zu ihm machte. Der Schmerz in meiner Brust und der Geruch von Blut schärften meine Sinne genug, um den Dunst in meinem Kopf zu beseitigen. Verdammte Scheiße, ich hatte mich mit dem Gottesknochen gestochen. Er ragte aus meinem Bauch heraus. Paul könnte mich immer noch besiegen. Ich riss ihn heraus und schob ihn in den Boden meines Seesacks. Mein Blut tropfte auf den Zettel, der durch den Stoff gesteckt war.

Schritt 2: Töte die Maden mit Limettensaft. Neben diesem Schritt hatte Eddie ein Bild des Portals mit Steinen gezeichnet, die auf die Maden fallen.

Rechts. Zurück durch das Portal. Ich hob die Tasche auf und schleppte mich wieder durch den See, wobei ich wieder einmal feststellte, wie leer er war. Wolken aus dunklem Rot quollen aus meinen verschiedenen Wunden ins Wasser. Nur noch ein kleines Stückchen weiter, dann wäre das alles vorbei.

Wieder zurück durch das Portal, fand ich die drei versiegelten, beschrifteten Krüge mit Limettensaft in der Tasche. Ich spritzte ihn auf die Maden unter der Brücke, so gut ich konnte. Ich hoffte auf das Beste.

Schritt 3: Wirf alle Leichenblumensamen ab.

Ich riss alle zwanzig kleinen Saatgutpäckchen auf und warf sie über den Rand der Brücke.

Schritt 4: Gieße die Samen.

Ich öffnete die versiegelten, beschrifteten Behältnisse mit Wasser und spritzte den Inhalt hinunter. Nichts geschah. Ich schaute auf meine Uhr. Was zur Hölle? Was ist mit der Zeit passiert? Nur noch neun Minuten bis zu meinem Geburtstag. *Neun*. Es gab keine Schritte mehr nach Schritt 4. Das war's. Aber ich muss meine Jägerinnenkraft vor meinem Geburtstag verlieren, oder ich würde den Verstand verlieren wie Roseff.

Wie zum Einverständnis riss es noch ein wenig mehr, und ich fiel vor Schmerz auf die Knie. Mein Kopf hing über den Rand der Brücke in der direkten Bahn der herabfallenden Steine. Einige prallten dagegen, bevor ich genug Verstand hatte, um mich nach hinten zu ziehen. Ich verlor den Verstand, und zwar schnell, und ebenso schnell verlor ich Zeit, mich zu retten.

Ein Schluchzen brach durch meine zusammengebissenen Zähne. Ich konnte mich auf meine Bisse konzentrieren, damit meine Vampire kommen und mir helfen würden. Paul war tot. Er konnte nicht... Er konnte nicht mehr durch sie hindurchgehen und sie kontrollieren.

Das statische Geräusch ließ meine Backenzähne klappern, also schrie ich, um es zu übertönen. Nein, wenn diese Leichenblumen nicht wuchsen, würde ich in den Keller der Polizeistation gehen. Dort könnte ich mit ... mit Night's Fall hinkommen.

„Du wirst für mich arbeiten, Vogelschwert, hörst du mich?" sagte ich und klang bereits wie ein Verrückter, während ich in meinem Seesack kramte. Aber ich redete schon seit Jahren mit leblosen Gegenständen, also... Ja, das machte die Sache nicht besser.

Night's Fall begann zu leuchten, sobald ich es entdeckte, und es lag in meiner Hand, als hätte ich es schon immer in der Hand gehabt. Aber das war nicht das Einzige, was glühte. Der gesamte Brückenbereich und sogar der Tunnel dahinter leuchteten hell, als würde die Sonne auf sie herabstrahlen. Der Boden rumpelte, und dann schoss ein dicker grüner Stängel von unten an mir vorbei, zusammen mit einem schrecklichen Geruch von Verwesung.

„Juhu!" rief ich, eine Mischung aus Abscheu und Freude. Die Leichenblumen sind gewachsen!

Immer mehr Stämme lösten sich von unten und schossen, vom Vollmond angezogen, über die Brücke hinweg in die Luft. Dann fiel ein Schatten auf die Brücke, und die Felsen hörten plötzlich auf zu fallen. Ich steckte meinen Kopf über den Vorsprung und schaute nach oben. An den Stängeln waren riesige violette Blüten aufgeblüht, ein wunderschöner Baldachin, der die fallenden Steine auffing.

Die Brücke schwankte, als weitere Stämme an ihr vorbeiwuchsen, und ich rannte hinüber, bevor einer von ihnen sie durchbrechen konnte.

Die Blätter lösten sich von den Stängeln und drückten sich gegen das Portal des Sees. Sie ignorierten mich, denn ihr momentanes Bedürfnis nach mehr Wasser war stärker als ihr Bedürfnis nach Macht.

Ich warf einen Blick auf meine Uhr. Sechs Minuten. Ich hatte sechs Minuten, um meine Jägerinnenkraft zu entfalten, bevor ich völlig den Verstand verlor. Ich konnte es kaum erwarten, dass die Leichenblumen zu mir kamen und nicht der See. Wenn Night's Fall so schön leuchtet, könnte es mich hier rausbringen, und zwar schnell.

„Bring mich zur Polizeiwache", sagte ich und stieß Night's Fall in die Luft.

Ein schwarzes Nichts zog mich in seinen Bann, ganz anders als die helle und blumige unterirdische Höhle. Das Schwert schleuderte mich durch die dunkle Leere und spuckte mich dann auf einer Straße aus. Ich sackte vor einem hellbraunen Gebäude zu Boden, das vom Vollmond angestrahlt wurde.

Wie jede andere Eingangstür in Podunk City stand auch die der Polizeistation weit offen. Dahinter und zur Linken saß eine brünette Beamtin. Es war ein öffentliches Gebäude. Ich konnte einfach hineingehen, aber danach? Ich hatte nicht den schwarzen Totenkopfschlüssel von Detective Appelt, mit dem ich in den Keller gelangen konnte.

Das statische Rauschen brutzelte mit einer gewaltigen Lautstärke in meinen Ohren. Ich schlug die Hände an den Kopf, mein Gehirn zerfetzte sich selbst, bis ich das Gefühl hatte, nur noch ein einziges Stück von mir zu haben.

Ein lautes *Klirren*, wie ein exaktes Echo des Klopfens, den ich gehört hatte, als Paul starb, durchdrang meinen Schmerz. Keine Zeit für Geräusche, weder echte noch eingebildete.

Ich konzentrierte mich auf die Bisse meiner Vampire, um sie zu mir zu rufen, und auf mein Bedürfnis nach meinem Vater und seinem schwarzen Schädelschlüssel.

Oh Gott!

Etwas knallte so fest auf meinen Rücken, dass ich Asphalt essen konnte. Etwas Scharfes. Etwas stach gefährlich nahe an mein Herz heran. Und ich war zu 66 Prozent sicher, dass ich es nicht selbst getan hatte.

Schritte hinter mir.

Ich wusste nicht, was das war, aber ich hatte keine Zeit. Ich drehte meinen Kopf, brauchte viel zu lange, um mich zu konzentrieren, und wünschte dann, ich hätte es nicht getan.

Eine Frau mit langen schwarzen Haaren kam von der anderen Straßenseite auf mich zu. Ihr skelettartiger Körper war mit Wasser verschmiert, und ihr schmuddeliges Kleid klebte an jedem Teil von ihr, als wäre sie gerade aus einem See aufgetaucht. Einem See/Portal, um genau zu sein. Sie richtete eine Armbrust direkt auf mich.

Dann traf es mich. Nicht ein weiterer Pfahl aus der Armbrust, sondern etwas viel, viel Schlimmeres. Ich war ein Vampir, gejagt von einer sehr toten Jägerin. Hinter ihr tauchten aus jeder offenen Tür auf der Straße immer mehr auf, alle mit dem gleichen Geräusch, alle nass, alle bewaffnet. Sie zuckten und krampften unnatürlich, als sie näher kamen, und als ich sah, wie sie mich jagten, entfuhr mir ein Schrei in der Kehle.

Halt! Kommt nicht hierher. Ich ließ den Gedanken an meine Vampire aufblitzen, dann rappelte ich mich auf, stolperte und stolperte wieder in Richtung der offenen Eingangstür der Polizeiwache.

Ein weiterer Pfahl traf mich an der Schulter, aber ich ging weiter.

Kurz bevor ich die Eingangstür erreichte, fiel ein Wassertropfen von der Spitze des Türrahmens. Er plätscherte auf den Boden, und aus ihm sprang eine weitere Jägerin. Diese war männlich und bewaffnet. Sie versperrte mir den Weg.

Aber nicht für lange. Ich habe ihn mit Night's Fall durchbohrt und ihn dann auf dem Weg nach drinnen niedergemäht.

Das war Pauls Strafe dafür, dass er ihn umgebracht hatte. Offensichtlich hatte er mich nicht unterschätzt, und er hatte dies geplant. Er hatte Wassertropfen aus dem See, die seine Kraft enthielten - das, was von seiner buchstäblichen Kraft in diesen toten Jägerinnen noch übrig war - in den offenen Türen der Stadt aufbewahrt, wie so viele Spione, um zu sehen, ob ich die letzte Schlacht gewinnen würde. Was für ein boshaftes, kleines Miststück Paul doch war.

Die Beamtin hinter dem Empfangsschalter schrie auf, als sie sah, wie ich versuchte, die schwere Tür, die tiefer in das Revier führte, aufzubrechen. Sie ließ sich nicht bewegen, nicht einmal mit meiner zusätzlichen Kraft. Diese beschissenen Türen würden wirklich mein Ende sein.

Ich riskierte einen Blick hinter mich durch die Vordertür auf die Straße. Die Jägerinnen kamen, Hunderte von ihnen.

„Machen Sie die Tür auf!", rief ich der schreienden Beamtin zu, dann schlug ich mit der Faust durch das Panzerglas, das sie von mir trennte.

Ihr Gesicht verzog sich, als ich nach ihrem Hals griff, und die Zeit schien sich zu verlangsamen wie eine Uhr mit einer schwachen Batterie. Wie eine Uhr... Wie eine Uhr...

Konzentration. Die Zeit drängte.

Ich blinzelte angestrengt auf die Uhr und versuchte, mein zerquetschtes Kartoffelhirn wieder zusammenzusetzen. Zwei Minuten.

Die Jägerinnen quetschten sich durch die offene Eingangstür der Polizeiwache. Ich schob den Beamten weg, entdeckte eine schwarze Taste neben ihrer Tastatur und schlug mit der Handfläche darauf.

Die Tür öffnete sich mit einem Klicken, und ich schlüpfte hindurch, während die Jägerinnen mir auf den Fersen waren. Ich warf mich nach links, und die Scheinwerfer über mir wirbelten wie Discokugeln über die Gesichter der Beamten, die auf dem Friedhof arbeiteten. Sie schmolzen auch, aber sie wichen zurück und schrien, anstatt mich zu töten, wie beim ersten Mal, als ich hier gewesen war.

Paul war tot. Diese Tatsache brachte ein zusätzliches Gefühl in die gefühllose Hälfte meines Körpers zurück, gab meinen Beinen einen zusätzlichen Schub an Geschwindigkeit, auch wenn mein Gehirn ihnen sagte, sie sollten einknicken, aufgeben, den Wahnsinn gewinnen lassen.

Aber ich würde es nicht tun.

Ich schleppte mich zum Aufzug. Vorbei an der Pinnwand, an der Pauls Bild hing. Und fand meine Antwort auf mein Fehlen eines schwarzen Totenkopfschlüssels in einem anderen Gesicht.

Der Beamte, der mich unter Drogen gesetzt hatte, bevor er mich nach unten in die Zelle brachte. Derjenige, dessen Kopf ich gegen die Gitterstäbe geknallt und dann seine Uniform gestohlen hatte. Er trat aus dem Aufzug, seine schmelzenden Augen weiteten sich angesichts der Szene, die sich ihm bot.

Hinter mir wimmelte es in der Polizeistation von Jägern, die ihre toten Körper zuckend und krampfend näher kamen. Pfähle flogen durch die Luft auf mich zu, einige von ihnen trafen, blieben aber nicht stecken. Noch nicht.

„Sie." Ich marschierte auf den Beamten zu, als er rückwärts in die sich bereits schließenden Aufzugstüren stolperte, und packte ihn am Hals. „Bringen Sie mich jetzt nach unten."

Er wandte sein sich auflösendes Gesicht ab und blickte auf den Ansturm toter Jägerinnen und fliegender Pfähle hinter mir. Er zuckte zusammen, als seine Augen wieder auf die meinen trafen, denn er hatte mich bereits vergessen, sobald er den Blick abwandte.

„Bitte töte mich nicht", flehte er.

Das Flehen in seiner Stimme verschaffte mir Klarheit, denn ihn zu töten war das Allerletzte, was ich tun wollte.

„Detective Appelt schickt mich." Ich duckte mich vor einem Ansturm von Pfählen, die durch die Luft flogen, und zog den Beamten in die Hocke hinter einem Schreibtisch zu meiner Rechten. „Mein Vater."

Die Pfähle klapperten lautlos um uns herum, da ich nicht gut hören konnte, aber ich konnte gut genug sehen, um zu wissen, dass die Jägerinnen nur wenige Meter entfernt waren.

„Oh." Er nickte, wobei die Haut auf seinen Wangen schneller heruntterglitt, und reichte mir seine Schlüssel. „Nimm sie."

„Du musst mit mir kommen." Immer noch in der Hocke, zerrte ich ihn hinter mir her. Ich würde einige tote Jägerinnen niedermähen müssen, um uns in den Aufzug zu bringen. „Geh zum Aufzug und halte die Tür auf, bis ich zu dir komme. Geh *jetzt*."

Dann ging er.

Und das tat ich auch, schwang Night's Fall durch die Luft und schmückte die Wände mit toten Jägerinnen. Die ekligen Spritzer ihrer nassen Körperteile drehten mir den Magen um. Das machte mich nicht stolz.

Ich machte den Weg frei, um mich in den offenen Aufzug zu stürzen, während das Rauschen aus meinem Schädel dröhnte.

„Mist!", schrie der Mann, der mich schon wieder vergessen hatte, und drückte sich in die Ecke.

„Wo ist dein Schlüssel?" Ich drückte auf den Knopf zum Schließen der Tür.

„Wer sind Sie?"

Oh, verdammt noch mal. „Detective Appelts Tochter! Wo ist dein Schlüssel?" Als er sich nicht bewegte, ließ ich Night's Fall durch die Luft fliegen, bis seine Kante mit der Haut an seinem Hals flirtete. „Der *Schlüssel*."

Am ganzen Körper zitternd und mit triefendem Fleisch tastete er nach dem Schlüssel und steckte ihn in die Wandtafel. Als er sich wieder zu mir umdrehte, schrie er erneut vor Schreck auf, und ich schrie genauso wie er, als der Schmerz meinen Kopf zerfetzte. Ich sackte in die gegenüberliegende Ecke, meine Arme fuchtelten an meinen Seiten, als hätte ich bereits die Kontrolle über sie verloren. Ich war dabei, den Kampf mit meinem Gehirn zu verlieren, das versuchte, sich von der Vernunft zu lösen, genau wie Roseffs Gehirn es getan hatte.

Aber ich konnte nicht verlieren. Ich würde es nicht tun. Drei schöne Gesichter stiegen auf wie verlorene Heliumballons, dazu ein viertes, viel pelzigeres, das mich daran erinnerte, warum ich weitermachen musste, warum ich den Schmerz durchstehen musste, der meinen Schädel aufbrach, damit der Wahnsinn mir nicht das Hirn aus dem Schädel riss und es mit einem Tritt versetzte.

Die Fahrstuhltüren öffneten sich mit einem Klingeln, und ich krallte meine Finger um den Kragen des Beamten und zog uns beide in den langen Flur hinaus. Mein Blick tauchte und rollte und kräuselte den gefliesten Boden in erdrückenden Wellen. Bei jedem Schritt grub ich die Spitze von Night's Fall in den Boden, kämpfte um das Gleichgewicht und bewegte mich so schnell ich konnte - selbst bei menschlicher Geschwindigkeit war es ein Kriechen - den Flur entlang.

Hinter uns schlossen sich die Fahrstuhltüren, und dann rumpelte er wieder nach oben. Wahrscheinlich würden wir bald Gesellschaft von toten Jägerinnen haben.

„Wie spät ist es? Inklusive Sekunden", zischte ich zwischen den Schreien des Beamten. Er muss mich wieder angeschaut haben.

„El-eleven achtundfünfzig und siebenundvierzig Sekunden."

Dreizehn Sekunden bis 11:59 Uhr. Mein Geburtstag.

Alle Zellen hier unten waren voll von schwimmenden dunklen Schatten und wütenden Stimmen, aber die vergitterte Tür der letzten, meiner ursprünglichen Zelle, stand offen. Nur noch zehntausend Meter.

„Sehen Sie mich an", sagte ich dem Beamten.

Er drehte seinen schmelzenden Kopf herum, als ich ihn mitschleppte, und schrie.

Die Menschen. Oh, mein Gott! „Sobald ich in der Zelle bin, aktivierst du die Leichenblumen, verstanden?"

Er nickte heftig und schälte die Haut an meinem Arm ab, der ihn am Kragen festhielt. Aber es war nicht echt. Es war nur mein Kopf, der mir Streiche spielte. Das Einzige, was real war, war die Notwendigkeit, mich in diese Zelle zu bringen. Ich durfte weder das noch die Zeit aus den Augen verlieren. *Konzentration.*

Schließlich stolperte ich in die Zelle und sackte auf dem Steinboden zusammen. Riesige Farbkleckse verschwanden aus meinem Blickfeld und wurden vollständig in das schwarze Loch meines Geistes gesaugt. Irgendwo in weiter Ferne klingelten die Aufzugstüren. Dann wurde das Rauschen unerträglich, ein ohrenbetäubendes Klappern wie Knochen in einem Gefäß.

„Die..." Ich zeigte nach oben. Nach oben in Richtung ... was?

Die Welt versank im Nichts.

Kapitel Neun

Ich konnte nichts sehen. Dann merkte ich, dass ich meine Augen geschlossen hatte.

In meinem Kopf war es ruhig, klar, gelassen und schmerzfrei, aber draußen feierte das Chaos eine schreiende Party. Meine unbeliebteste Art.

Ich riss meine Augen auf. Mein Blick verengte sich zuerst auf die Farbe Orange, die sich wie ein magisches Müsli von meinen Armen löste. Nur ein wenig davon, das mit dem Rest zu einem Lüftungsschacht an der Decke aufstieg. Meine Jägerinnenkraft. Sie ist weg.

Als es verschwand, fühlte ich mich wieder ganz, so ganz wie seit langem nicht mehr. Ich war absolut in der Lage, Night's Fall auf dem Boden neben mir aufzunehmen und die toten Jägerinnen niederzumähen, die an meiner Zelle vorbei zu dem schreienden Offizier peitschten, der an der anderen Wand kauerte.

Also habe ich genau das getan.

Eine halbe Sekunde später stand ich schützend vor dem Officer und schwang meinen Lieblingsvogel bzw. mein Lieblingsschwert durch die Luft. Körperteile flogen. Ich tötete keine Jägerinnen, weil sie bereits tot waren. Ich zerstörte den letzten Rest von Pauls Magie, die sie wiederbelebt hatte. Das letzte von Paul, *Punkt*.

Ich will nicht angeben oder so, aber ich hatte genug Englischunterricht, um die Symbolik meines Tuns zu erkennen. Ich wollte die Jägerinnen für immer auslöschen. Ich brauchte kein aus dem Gleichgewicht geratenes Chaos mehr, denn das Universum hatte immer noch eine Jägerin - die Leichenblume an der Decke, die mir die Kraft ausgesaugt hatte. Ich würde die Jägerin nur noch dem Namen nach sein, für immer, damit niemand mehr unter dieser Last leiden musste. Einschließlich mir, in gewisser Weise, denn ich hatte das Monster namens Paul bereits besiegt.

Weitere Jägerinnen zuckten und stürmten den Gang entlang, aber ich verwandelte alle ihre fliegenden Pfähle in Splitter. Keine von ihnen konnte mir etwas anhaben, und mir wurde plötzlich klar, wie sehr eine Jägerin im Nachteil war, wenn sie es mit einem Vampir zu tun hatte. Wie zum Teufel hatte ich das all die Jahre geschafft?

Hinter dem Haufen doppelt toter Körper am anderen Ende des Ganges rumpelte der Aufzug nach unten und kam zum Stehen. Wahrscheinlich waren noch mehr Jägerinnen wie

Clowns in einer winzigen Kabine eingepfercht, wenn man die Zahl derer betrachtet, die bereits hier waren.

Gerade als ich die letzte Jägerin niedergestreckt hatte, klingelte es und die Türen öffneten sich. Vier vertraute Vampire schritten heraus und blieben stehen, als sie mich sahen, mein Vogelschwert erhoben, mit klaren Augen, buschigen Schwänzen und bereit für jede Art von Aktion. Ihre Kinnladen fielen herunter, aber ein paar meiner liebsten Lächeln auf der Welt erhellten den ganzen verdammten Flur.

„Wie geht es euch?", fragte ich und suchte nach Anzeichen dafür, dass die Jägerinnen sie auf ihrem Weg nach unten verletzt hatten.

„Äh, gut?" sagte Jacek. „Jägerin ... was ..."

„Geht es dir gut?", fragte Sawyer.

Eddie schaute mich durch seine Brille scharf an. „Ist es vorbei?"

„Belle", war alles, was Detective Appelt sagte, und er lächelte, seine orange-gelben Augen leuchteten.

„Paul ist tot." Ich nickte und wischte mir ein wenig tote, nasse Jägerin aus dem Gesicht. „Ich habe ihn oft getötet, und ich fühle mich ziemlich gut dabei."

Die vier lachten, ein erleichtertes Geräusch, wie ich es noch nie gehört hatte, und schüttelten ungläubig den Kopf. Sie versuchten, Worte zu formulieren, aber ich muss ihnen die Zunge verschlagen haben. Aber das war in Ordnung. Wir hatten Zeit, so viel Zeit, dass sie mir ein Dauergrinsen ins Gesicht zauberte.

„Und die Leichenblumen?", fragte Eddie schließlich. „Haben sie nicht funktioniert?"

„Sie funktionierten, aber sie hatten kein Interesse an mir, also kam ich hierher."

„Da bin ich aber froh", sagte der Detektiv und nickte dem kauernden Beamten hinter mir zu. „Hey, Bill."

„Oh", sagte er. „Hey."

Sawyer schüttelte den Kopf, seine schwarzen, seidigen Locken wippten leicht. „Wir haben nicht daran gezweifelt, dass du es schaffst, Belle, aber... du warst unglaublich, und du hast dich einfach... wie die tapferste Kriegerin der Geschichte dagegen gestellt."

Ich zuckte mit den Schultern. „Du hättest an meiner Stelle dasselbe getan."

„Nicht in diesem Ausmaß von..." begann Sawyer. „Von..."

„Großartigkeit?" lieferte Jacek.

Sawyer nickte. „Nun, ja."

Eddie lachte und starrte mich durch den wilden blonden Haarschopf in seinem Gesicht an. „Das ist mein Sunshine."

Ein hungriger Blick ging über Jaceks Gesicht, der ein sinnliches Kräuseln zwischen meinen Beinen auslöste. „Jägerin, ich glaube, ich wollte dich noch nie so gerne f..."

Eddie warf Jacek einen bedeutungsvollen Blick auf Detective Appelt zu.

Jacek schärfte seinen Blick und räusperte sich. „Ich glaube nicht, dass ich jemals mit dir herumtollen und Spaß haben wollte, um deinen einundzwanzigsten Geburtstag zu feiern, wie es ein richtiger Gentleman tun würde."

Detective Appelt rollte mit den Augen, und ich hätte mich ihm anschließen können, wenn ich nicht so sehr gelacht hätte. Sicherlich wusste er von meiner unorthodoxen Beziehung zu meinen Vampiren, aber wenn ihn das störte, zeigte er es nicht. Ich würde das zu der langen Liste von Dingen hinzufügen, über die wir reden müssen.

Im Moment fühlte es sich jedoch verdammt gut an, im Moment zu leben - einem sehr realen Moment - mit einem Lächeln auf dem Gesicht und einem überstandenen Albtraum hinter mir.

Ich erwachte mit einem Keuchen in der Dunkelheit und einem tiefen, fast schmerzhaften Schmerz in meiner Muschi. Vom Gefühl her lag ich diesmal in einem richtigen Bett und nicht im Holzschuppen. Das war ein hervorragender Fortschritt. Noch besser waren die Lippen, die sich an die Wölbung meiner Schulter schmiegten. Die Hand, die über meinen Bauch gestreift wurde. Der harte Schwanz, der gegen die Seite meiner Hüfte reichte.

Doppelt so gut wie das kam von meiner anderen Seite. Die Spur von Lecken und Küssen über meinen Brüsten. Ein weiterer harter Schwanz drückte sich in meine Handfläche.

Dreimal so gut wie das war der massive Umriss von Sawyer, der am Fußende des Bettes kniete, seine Faust pumpte seinen riesigen Schwanz auf und ab, während sein Blick sich an meinem nackten, sich windenden Körper labte.

Wir waren alle auf dem Bett eingeschlafen, nachdem wir uns für meine Geburtstagsparty und für das Erreichen der Großartigkeit mit jeder Menge Blut vollgestopft hatten. Die Erregung über das, was vor uns lag, jetzt und für immer, summte durch meinen Körper. Ich stöhnte auf, als ich meine Hüften nach oben drückte, eine Bitte, dass sie mich wieder und wieder nehmen sollten.

Wer hätte das gedacht? Sie haben mich nicht enttäuscht.

Jacek und Eddie spreizten meine Beine weit für Sawyer, der sich wie ein geiles Tier zwischen ihnen herumtrieb. Aber anstatt seinen Schwanz in mich zu stecken, tauchte er seinen Kopf zwischen meine Knie und verschlang meine triefende Muschi bis zum Anschlag. Ich wurde wild und ritt auf seiner Zunge, meine Schreie hallten durch das Gästezimmer. Eddie und Jacek fickten mich von der Seite, während sie stöhnten und knurrten, bis ich meine Hände um ihre beiden harten Schwänze schlang und sie streichelte. Das verlangsamte ihre Hüften nicht im Geringsten. Wir vier waren Tiere, unersättlich, und ich liebte es verdammt noch mal.

Eddie und Jacek ergossen sich bald in meine Handflächen und bissen dann ihre Reißzähne in meine Seiten, während sie ihre Orgasmen auskosteten. Ich führte meine Hände zum Mund, um ihren Samen zu lecken, während Sawyer mich wieder und wieder zum Kommen brachte. Dann, mit einem Knurren, kletterte Sawyer auf meinen Körper und schob die anderen beiden vom Bett.

„Uff", sagte Jacek, als er auf dem Boden landete. „Das ist unser Zeichen zu gehen, Smiley."

„Aber wir kommen wieder", versprach Eddie mit einem Hauch von Lächeln in der Stimme.

„Das solltet ihr auch." Ich grinste sie an, während ich meine Beine um Sawyers Hintern schlang. „Wir haben eine ganze Menge nachzuholen."

Daraufhin knurrten sie beide.

Jacek streichelte sich, schon wieder hart, während er seinen Blick von der Seite des Bettes über meinen nackten Körper gleiten ließ. „Scheiße, Jägerin, wie soll ich damit hier rausgehen?"

„Du wirst es herausfinden." Sawyer schmiegte sich zwischen meine Schenkel, die Spitze seines Schwanzes stieß bereits an meine Öffnung. Rot tanzte das Orange in seinen Augen, als er mein Gesicht und die Länge meines Oberkörpers mit ihnen versengte. Seine Reißzähne traten hervor, als er sein Glied in mir versenkte, bevor die anderen beiden es verlassen hatten.

Ich stöhnte auf, als ich ihn in seiner ganzen Fülle spürte. Er war so groß, dass er jeden Zentimeter von mir auszufüllen schien.

Er ließ seine Lippen in einem kurzen, rauen Kuss über meine gleiten, während er noch tiefer eindrang. „Ich liebe dich, Belle."

Mein Herz schwoll an, obwohl ich es schon wusste. „Ich liebe dich auch." Ich strich ihm die seidigen schwarzen Locken aus dem Gesicht und sah ihm in die Augen, damit er wusste, dass ich es auch so meinte, für immer.

„Keine Götter mehr. Nur das. Nur wir in diesem Haus", sagte er.

„Für eine Ewigkeit." Ich grinste zu ihm hoch. „Meinst du, du hältst mich so lange aus?"

Dann begann er mich zu ficken und zeigte mir genau, wie lange er mich aushalten konnte. Und wow, es war eine lange, erstaunliche Zeit, jede Sekunde davon. Der Vampir bestand aus nichts als Muskeln und Krieger und Hengst, und er sah verdammt gut aus, während er in mich stieß. Wir kamen in einer Flut von Küssen zusammen, und mein Herz war so voll von Liebe für diesen Vampir. Als er mir mit seinen Reißzähnen hinter dem Ohr Blut abzapfte, fuhren meine Reißzähne aus und ich versenkte sie in seiner wulstigen Schulter. Ich stöhnte bei seinem Lavendel-im-Wald-Geschmack und trank tief ein. Nachdem wir unsere Bisse sauber geleckt hatten, zog er sich sanft zurück, drückte mir einen Kuss auf die Nase und stand dann auf.

„Ich kann die anderen beiden da draußen riechen, die wie Hunde um mich herumschwirren", sagte er, während er seine Hose vom Boden aufschnappte.

„Wuff!" rief Jacek von irgendwoher aus dem Haus.

Ich warf den Kopf zurück und lachte. Verdammt, das fühlte sich gut an, diese ganze Freiheit und das Lachen.

Irgendwann würde ich mir überlegen müssen, was ich mit meinem unsterblichen Ich anstellen wollte, außer Sex - und das würde ich. Ich hatte Zeit und eine unendliche Anzahl von Möglichkeiten. Aber die, die mich am meisten begeisterte, war die Idee, mein Studium fortzusetzen und vielleicht einen Abschluss in Betriebswirtschaft zu machen. Ich könnte irgendwo meinen eigenen Laden aufmachen, so eine Art Café, aber blutiger, mit verschiedenen Geschmacksrichtungen, die uns Vampiren einen kleinen Extra-Kick für den Tag geben würden. Nachts. Wie auch immer.

„Hast du Durst?", fragte Sawyer.

Ich nickte, streckte mich auf dem Bett aus und grinste, als Sawyer mich wieder fickte, diesmal mit seinen heißen Augen. „Immer."

„Belle..."

Das raue Verlangen in seiner Stimme zog meine Brustwarzen zusammen, ließ mich meine Schenkel zusammenpressen. Ich wölbte meinen Rücken und stemmte meine Hüften gegen die Luft, die schon so feucht und schmerzhaft war. Als Jägerin/Fee war ich geil, aber als Vampir/Fee/Piraten war ich unersättlich.

„Wird dieses Gefühl irgendwann verschwinden?", fragte ich.

Sawyer warf sich sein schwarzes T-Shirt über, dessen Stoff eng an seiner bronzefarbenen, tätowierten Haut anlag, und rückte dann die Beule in seiner Jeans zurecht. „Vielleicht irgendwann. Aber seit ich dich getroffen habe, ist es für mich nicht weniger geworden. Ich denke an nichts anderes mehr als an dich, sogar im Schlaf, aber ich habe Wege gefunden, damit umzugehen.

„Wie beim Wichsen?", fragte ich und ließ meine Hand zwischen meine Beine gleiten.

„Ja", knurrte er, als ich zwei Finger einrollte und sie wieder herauszog. „So ziemlich ständig."

Ich versenkte sie wieder, noch tiefer, und ritt meine Hand, während er zusah und sich durch seine Jeans rieb.

„Scheiße, Belle."

Von draußen ertönte ein leises Rumpeln, das sehr nach Jacek klang. Wahrscheinlich wollte er sich auch am Spaß beteiligen.

Sawyer rollte mit den Augen. „Ein Hund hat dich aufgespürt. Ich werde dir einen Drink holen, aber das könnte eine Weile dauern." Er hob die Augenbrauen und deutete auf den wütenden Ständer, der gegen seine Jeans drückte.

„Lass dir Zeit. Ich liebe dich, Sawyer."

„Ich liebe dich auch." Lächelnd öffnete er die Tür und sah einen keuchenden Jacek am Türrahmen lehnen.

„Ich kann es nicht mehr ertragen. Dein Lustgeruch, Jägerin..." Seine Augen wurden augenblicklich feurig, als er sah, was ich mir antat. Er schob sich an Sawyer vorbei und klopfte ihm dabei leicht auf die Brust. „Lass dir die Tür nicht in den Arsch fallen, wenn du rausgehst, Großer."

Ich hauchte Sawyer einen Kuss zu, der auf dem Weg nach draußen kicherte. „Gut, dass ich drei Vampire habe, die sich um alle meine Bedürfnisse kümmern, nicht wahr?"

„Aha." Jacek ließ seine Sporthose fallen und krabbelte dann zu mir aufs Bett, seine Knie umklammerten meine Hüften. Er nahm meine Hand zwischen meinen Beinen hervor und nahm meine beiden Finger in seinen Mund, leckte und saugte an meinen Säften.

Ich stöhnte auf, als ich seine Zunge spürte, und streckte meine Hand aus, um seinen steifen Schwanz zu streicheln und ihn nach unten zu ziehen, um für immer in mir zu versinken. Aber das wollte er nicht.

Er grinste, als er meine Finger aus seinem Mund schob und sich die Lippen leckte. „Ich habe noch ein anderes Geschenk für dich als meinen Schwanz."

„Noch eins?" Die drei hatten mich gestern Abend, nachdem wir nach Hause gekommen waren, mit Geschenken überhäuft, wie einem neuen Laptop, Büchern, Sparring-Ausrüstung und einem schicken neuen Halsband für Cleo, weil sie inoffiziell auch Geburtstag hatte.

„Ja. Gehe auf Hände und Knie, ich zeige es dir."

Mir gefiel schon, wohin das führte. Ich nahm die Position ein, und Sekunden später packte mich Jacek grob an den Hüften und stieß in mich hinein, fickte mich mit wilder Hingabe. Ich schrie auf und kam jedem seiner harten Stöße entgegen. Als ich kurz davor war zu kommen, wurde er langsamer und zog mich mit dem Rücken an seine Brust, während er weiter in mir pumpte. Er drehte mein Gesicht zu seinem und küsste mich, wobei er jedes bisschen Liebe, das ich für ihn empfand, in mich zurückfließen ließ, und dann summte etwas in einer von Jaceks Händen. Ich wollte mich umdrehen, aber er fasste mir an die Wange und küsste mich tiefer, so dass ich meinen Kopf nicht drehen konnte. Er drückte das surrende Ding gegen meine Klitoris, und ich schrie vor Schreck in seinen Mund.

Ein Vibrator. Er hatte mir einen Vibrator besorgt, und zwischen ihm und seinem immer schneller werdenden Tempo verwandelte ich mich in ein wildes, sexuelles Tier. Ich stieß mich an ihm und dann wieder an ihm, mein ganzer Körper war ein sich windender Sturm.

„Ich liebe dich, verdammt." Jacek grinste gegen meinen Kuss an, und es war so schön, dass ich kam.

Hart. Ein sintflutartiger Orgasmus, der sich wieder und wieder über meinen Körper ergoss. Jacek musste mich aufrecht halten, damit ich nicht zu einer Pfütze zerfiel, damit er fertig werden konnte. Und das tat er mit einem Brüllen. Wir tranken voneinander, Jaceks Frühlingsregengeschmack durchspülte mich.

Für den Moment gesättigt, ließ ich mich mit dem Gesicht voran ins Bett fallen. Jacek folgte mir nach unten, küsste meinen Nacken, meine Schultern, bis hinauf zu meinen Ohrenspitzen.

„Ich liebe dich auch, Jacek." Ich schaute über meine Schulter zu ihm und berührte mit den Fingern sein Kinn. „So sehr. Ich danke dir für das Geschenk. Danke für alles."

Er küsste meine Handfläche und lächelte. „Gern geschehen. Ich glaube, ich war in meinem Leben noch nie so glücklich wie in diesem Augenblick. Genau hier. Mit dir."

Ich grinste, während es in meinen Augen brannte. Nach den Qualen, die er mit Roseff durchgemacht hatte, musste er glücklich sein, und die Tatsache, dass ich etwas damit zu tun haben könnte, ließ mich ihn umso mehr lieben.

„Ich auch", sagte ich.

Er kuschelte nicht mit mir, oder zumindest dachte ich nicht, dass er es tat. Ich glitt in den Schlaf und wachte einige Zeit später mit Eddies Namen auf den Lippen und einem passenden Schmerz zwischen meinen Beinen auf. Aber auch mit einem quälenden Durst bei dem Geruch von Blut.

Es wehte aus der Tasse auf dem Nachttisch mit einer Prise Zimt. Er war noch warm. Ich nahm einen großen Schluck. Immer noch perfekt. Als ich fertig war, machte ich ein „Aaaah"-Geräusch, weil es so gut geschmeckt hatte. Ja, ich weiß. Manchmal tat ich Dinge, die sogar mich selbst ärgerten. Oh, und sieh dir das an. Meine Reißzähne sind nicht herausgekommen. Es waren die kleinen Dinge im Leben und im Tod - und die großen Dinge -, die mich glücklich machten.

Jetzt brauchte ich meinen Eddie-Fix. Warum war er nicht zu mir gekommen? Dann fiel mir ein, dass er seine Schwester in einer Stadt in einem anderen Bundesstaat beerdigen wollte. Auf dem Weg aus dem Polizeirevier hatten wir noch mehr tote Jägerinnen abwehren müssen, obwohl ich die meisten von ihnen schon erledigt hatte. Sawyer hatte sie vor uns anderen gesehen und sie vor Eddie weggeschleppt, damit er Sawyers Gnadentod nicht sehen würde. Wir hatten Eddie angeboten, mit ihm zu gehen, um sie zu begraben, aber er hatte abgelehnt, und wir hatten ihn offensichtlich nicht dazu gedrängt. Nach seiner schrecklichen Vergangenheit hatte er jedes Recht zu tun, was er wollte.

Ich döste noch ein wenig und wachte dann auf, als ich ihn in der Tür stehen sah, völlig nackt und ungezähmt und voll erigiert.

„Du hast geläutet?", sagte er leise.

Ich streckte ihm meine Hand entgegen und versuchte, seinen Gesichtsausdruck zu lesen. „Das habe ich."

Er durchquerte das Gästezimmer und ich ging auf die Knie, um ihn an mich zu drücken. Er drückte mich fest an sich und küsste mein Haar, unsere nicht schlagenden Herzen pressten sich aneinander, obwohl er mir einst nicht genug vertraut hatte, um ihn zu berühren.

„Geht es dir gut?" flüsterte ich.

„Perfekt, sagte er und seine Lippen strichen über meine Wange. „Sie hat ihren Frieden gefunden und du auch, und ihr seid beide völlig frei von Paul. Es ist eine Erleichterung, eine Befreiung, und ich kann mir nur vorstellen, dass du das millionenfach spüren musst."

„Ja." Ich zog mich leicht zurück, um meine Lippen auf seine zu pressen. „Sehr sogar."

Dann lächelte er, seine orange-gelben Augen wie ein warmer Sonnenuntergang auf meinem Gesicht. „Ich liebe dich, Sonnenschein."

Ich strich ihm das Haar über die Stirn, nur um es zwischen meinen Fingern zu spüren, nur als weitere Ausrede, um ihn zu berühren. „Ich liebe dich auch."

Dann küsste er mich, sanft und zärtlich, und drückte mich zurück auf das Bett. Seine kalte Haut glitt über meine, während er meinen Körper von Kopf bis Fuß mit seinem bedeckte, jeder Teil von uns berührte, liebte und umhüllte den anderen. Unser Kuss vertiefte sich, als er meinen Kopf mit beiden Händen zurückwarf, und mit einem Stoß war er in mir.

Ich stöhnte laut auf, ich war schon kurz davor zu kommen, aber ich wollte, dass es anhielt. Schließlich hatten wir ja Zeit. Mit einem Hüftschwung drehte ich ihn auf den Rücken, damit ich für immer mit ihm Liebe machen konnte. Oder bis er wieder zur Arbeit gehen musste. Ich zog seine Hände über den Kopf und hielt sie dort fest, während ich ihn in meinem eigenen Tempo ritt, damit ich nicht zu früh in Stücke zerbrach. Aber er fühlte sich zu gut an, küsste mich zu gut, sah zu verdammt gut aus mit seinem wilden blonden Haar, das immer so aussah, als hätte er gerade gefickt.

Ich brauchte nicht lange, um alles zu vergessen und mich auf seinem Schwanz zu winden, während er meine Brustwarzen streichelte und in mich eindrang. Seine Augen flammten rot auf, als er ein Knurren ausstieß. Dann ließ er eine Hand fallen, um meinen Arsch zu packen und senkte sie tiefer, um einen Finger in mein Arschloch zu drücken.

Elektrische Empfindungen entluden sich in einem heftigen, rasenden Orgasmus, der mir bis in die Zehenspitzen stürmte. Ich schrie auf, aber Eddie unterdrückte es, als er sich aufrichtete und mich grob küsste. Dann kam auch er, und wir klammerten uns aneinander und bissen uns gegenseitig in den Nacken. Wir blieben noch lange so, tranken und saugten und hielten die ständigen Nachbeben aus.

Schließlich leckte ich seinen Hals sauber und sah ihn an, wobei ich so sehr grinste, dass mir das Gesicht wehtat. Dann schoss mir ein Gedanke durch den Kopf, der mir nicht in den Kopf passte. „Werdet ihr mir sagen, was nötig war, um mich in einen Vampir zu verwandeln? Ihr sagtet, es sei ein langer, komplizierter Prozess, eine Jägerin zu verwandeln."

Er strich mit den Lippen über meinen Kiefer und nickte. „Roseff entdeckte, dass ein einfacher Blutaustausch nicht funktionieren würde, wenn man keinen Anker hätte."

Ich blinzelte. „Warte. Willst du damit sagen, dass ich wirklich ein Pirat bin, so mit einem Schiffsanker und allem?"

Dann lachte er, ein Laut reiner Freude. „Ich meine einen Anker im übertragenen Sinne, Sunshine. Etwas, das den Vampir im Inneren hält und ihn mit der Jägerin vermischt. Jacek meint, Roseffs Anker war die Angst, die Furcht und der Wahnsinn, vielleicht weil sein Übergang ziemlich lang war. Was denkst du, was dein Anker war?"

„Liebe", sagte ich ohne zu zögern.

„Das war wahrscheinlich auch der Grund, warum deine Verwandlung so schnell vonstatten ging, nachdem wir drei mit dir Blut ausgetauscht hatten. Liebe ist viel weniger chaotisch und kompliziert." Er drückte mir einen Kuss auf die Nasenspitze. „Oder deine ist es jedenfalls."

Ich versuchte, meinen Mund zu einem skeptischen Stirnrunzeln zu verziehen und scheiterte spektakulär. „Elf Monate sind schnell?"

Er lächelte, dieses lächerliche Lächeln, das ich mir zu eigen gemacht hatte. „Wenn man eine Ewigkeit lebt, ja."

Wow, ich konnte gar nicht fassen, wie gut sich das anhörte, vor allem, wenn es mit meinen drei Lieben sein würde. Ich konnte es kaum erwarten.

Kapitel zehn

Das ging tagelang so weiter. Wochenlang. Wer zum Teufel wusste es und wen zum Teufel interessierte es? Meine Vampire brachten mir Blut wie eine Vampirkönigin und fickten mich dann, manchmal einer nach dem anderen, manchmal zwei, oder manchmal alle drei auf einmal. Hör mal, wir hatten eine Menge nachzuholen, okay?

Außerdem musste ich mich an mein neues Vampir-Ich ohne Kartoffelhirn gewöhnen, musste mich geistig heilen, obwohl es mir körperlich gut ging. Besser als gut mit all der Liebe, der sexuellen Heilung und der Aufmerksamkeit, mit der mich meine Vampire überschütteten. Es gab Tage, an denen ich nicht einmal aus dem Bett kam. Ich hatte keinen Grund dazu, denn das eingebaute Bedürfnis, meine tägliche Pflicht als Jägerin zu erfüllen, mitsamt Magenkrämpfen und juckenden Füßen, war verschwunden. Zwischen all dem Sex redeten wir stundenlang über alles Mögliche, auch darüber, ob ich die Macht und die

Verantwortung vermisste. Die Wahrheit war viel schwieriger mit einem einfachen Ja oder Nein zu beantworten.

„Ich war gut darin, die Jägerin zu sein", hatte ich gesagt.

„Verdammt gut", stimmte Jacek zu.

Eddie nickte. „Die beste in der ganzen Geschichte, weil du jetzt hier sitzt."

„Es war ein großer Teil von dem, was du warst", sagte Sawyer.

Größer als ich dachte, und das will wirklich etwas heißen.

An einem trüben, stürmischen Abend Ende Dezember schloss ich also die Haustür meines Vampirhauses. Ja, ich habe sie tatsächlich geschlossen. Jede Tür in Podunk City funktionierte jetzt so, wie sie sollte, ohne dass Seewasser eine tote Jägerin aus dem Rahmen tropfte. Endlich schien es so, als würden sich die Türen wieder selbständig machen.

Auf dem Weg zum Friedhof schnüffelte Cleo vor mir auf dem Bürgersteig, lief im Zickzack von einer Seite zur anderen, während ihr Schwanz aufgeregt wedelte. Die Powerpuff Girls auf meinem T-Shirt starrten mit ihren großen Augen hinter meiner offenen Lederjacke hervor. Nö, da war ich immer noch nicht rausgewachsen. Wie die Jägerin waren auch die Cartoons ein Teil von mir, und ich weigerte mich, mich den Vorstellungen der Gesellschaft darüber anzupassen, was ein einundzwanzigjähriger Vampir/Fe/Pirat zu sein glaubte und mit wie vielen Vampiren ich gleichzeitig schlief. Die Gesellschaft war einfach ein Miststück.

Jedenfalls hatte ich einen Pfahl in meinem Dutt auf dem Kopf, einen weiteren in der Innentasche meiner Jacke und einen weiteren in meinem Stiefel, wie immer, obwohl ich nicht vorhatte, sie zu benutzen. Aber zum ersten Mal seit langer Zeit ließ ich meine Kevlar-Weste zu Hause. Auch ohne sie sah ich entsprechend aus. Und was noch wichtiger war: Ich *fühlte mich auch so*, ob ich nun die Kraft der Jägerin hatte oder nicht.

Mit einer Hand, auf der nicht mehr SCHLÜSSEL stand, zog ich den Friedhofstorschlüssel aus meiner Tasche und schloss das Tor auf. Cleo flitzte zuerst hindurch und stieß mich dabei fast um, damit sie sich alles ansehen konnte.

„Oje, Mädchen. Atme mal durch. Es ist alles in Ordnung."

Und das war es auch. Auf dem Friedhof herrschte nicht mehr Pauls Dunkelheit, die über den Boden kroch, und auch nicht sein Gewicht, das in der Luft hing. Er sah perfekt aus und fühlte sich auch so an, zumindest für einen Friedhof, mit dem Versprechen von Schnee, der durch die Baumkronen wehte. Einer dieser Bäume klopfte mit seinen Ästen an ein neu errichtetes Mausoleum im hinteren Teil des Friedhofs, über dessen Tür in Blockbuchstaben Appelt eingemeißelt war.

Etwa zwei Meter davon entfernt, vor dem Grab meiner Mutter, stand Detective Appelt selbst. Er starrte traurig auf Moms Grabstein und schien nicht zu bemerken, dass Cleo direkt auf ihn zuhüpfte. Ihn so zu sehen, ließ meine Schritte stocken, eine große Welle der Trauer überrollte mich. Nicht nur wegen Mom, sondern auch wegen ihm und dem, was er verloren hatte. Er hatte sie geliebt. Das war offensichtlich. Ich stellte mir vor, dass er es immer noch tat.

Er drehte sich um und sah Cleo kommen, dann blickte er mich mit einem breiten Lächeln aus seinen orangegelben Augen an. Die Enden seines karierten Schals, der über seinem hellbraunen Trenchcoat hing, peitschten im Wind, und sein blondes Haar glänzte im winterlichen Sternenlicht.

Ich winkte und fühlte mich wie ein Roboter. Ich war schon immer so ein unbeholfener Schwenker gewesen.

Er kniete nieder, um Cleo zu begrüßen, die ihn abschleckte und mit dem Schwanz wedelte, wie man es tut, wenn man mit allen befreundet ist. Ich zwang mich, auf sie zuzugehen, unvoreingenommen zu sein, zuzuhören, was der Detektiv zu sagen hatte, und zu versuchen, nicht zu urteilen. Ihm zu vertrauen, wie er es mir gesagt hatte. Solange er mir auch vertraute.

„Hey, Belle", sagte er, als ich neben ihn trat. Er gab Cleo einen letzten Klaps auf den Kopf und stand auf.

„Hey." Ich starrte mit ihm auf Moms Grab hinunter, etwas, das ich mir während der Patrouillen nie erlaubte. Sie war eine zu schmerzhafte Ablenkung, aber mit meinem Vater hier war das etwas weniger der Fall. „Was würde sie wohl sagen, wenn sie wüsste, dass ihre Tochter jetzt ein Vampir ist?"

„Wahrscheinlich... wahrscheinlich verdammt, ich bin stolz auf diesen Vampir", sagte er mit rauer Stimme. Ich nickte, nicht ganz mutig genug, um ihm in die Augen zu sehen und herauszufinden, ob er genauso empfand. Gib mir einen Gott, den ich töten kann, und tote Jägerinnen, die ich bekämpfen muss, klar, das kann ich. Aber ein Gespräch mit meinem Vater, den ich gerade erst kennengelernt hatte, naja... ein Schritt nach dem anderen mit Schildkrötengeschwindigkeit. Wir hatten eine Menge Zeit. Zeit, meine ich. Keine Schildkröten. Irgendwann würden wir es schaffen.

„Also, Vampire", sagte ich schließlich. „Du haltest Neugeborene in der Senatsvilla. Wie läuft das so?"

Er nickte. „Ich lasse etwa einen pro Tag frei, wenn sie nicht mehr wild sind."

„Also nicht so wie der da." Ich deutete über seine Schulter auf einen Vampir, der durch die Gitterstäbe des Friedhofs schlich.

Er sah mich an und kicherte dann. „Nein, nicht wie der da. Willst du dir die Ehre erweisen?"

„Sicher..." Das würde ein großes Umdenken erfordern, aber ich konnte nicht einfach meine eigenen Leute umbringen. Dieser Weg war humaner, Fangen und Freilassen. Wahrscheinlich hätte ich darüber schon vor langer Zeit nachdenken sollen, aber damals war ich die Jägerin, ein anderer Mensch als jetzt. Der einzige neugeborene Vampir, den ich nie getötet hatte, war mein eigener Vater.

„Ich bringe sie ins Haus, wenn du fertig bist", sagte er und reichte mir ein Paar Handschuhe wie seine, die ich überzog, und dann ein silbernes Seil aus seiner Manteltasche. „ „ „Oder du machst das. Der Teufel hat ein bisschen umdekoriert, auch wenn er nicht mehr so oft vorbeikommt. In der Haupthalle hängt ein großes Gemälde von dir ... in einem Hochzeitskleid."

Ich warf den Kopf zurück und lachte. „Oh, das muss ich sehen."

„Fertig?" Mein Vater schenkte mir ein Lächeln, das meinem eigenen verdammt ähnlich sah.

„Lass uns den Vampiren ein bisschen in den Arsch treten. Behutsam. Mit einem Seil."

Und das taten wir, zusammen.

Über den Autor

Holly Ryan ist das Pseudonym einer *USA* Today-Bestsellerautorin, die eines Tages sagte: „Scheiß drauf. Ich werde Bücher schreiben, in denen es richtig knistert.“ Sie wird von Wein angeheizt, daher stammt wahrscheinlich auch die Idee.

https://www.hollyryanwrites.com/deutsch/